Kristín Marja

Kantate

ROMAN

På dansk ved
Nanna Kalkar

Gyldendal

Kantate
er oversat fra islandsk efter

Published by agreement with
Forlagid Publishing House, www.forlagid.is
1. udgave, 2. oplag
Omslag: Henrik Koitz
Bogen er sat med ITC New Baskerville
hos Pamperin & Bech
og trykt hos Livonia Print
Printed in Latvia 2015
ISBN 978-87-02-15049-0

www.gyldendal.dk

Prolog

De to kom ind i metroen, så lyse i huden at passagerer, som hidtil havde kigget ned i gulvet for at undgå hinandens blik, nu alle som én så op. Et øjeblik senere kiggede de atter ned eller ud ad vinduet, hvor de mødte deres eget spejlbillede.

De to, der kom ind, greb fat om stangen midt i vognen og så sig om efter ledige pladser i nærheden uden at afbryde deres samtale. Manden fik øje på en plads ved siden af en mørklødet mand og gjorde tegn til kvinden om, at hun kunne sætte sig der. Selv stillede han sig ved siden af hende og greb fat i en strop, som hang ned fra loftet, og fortsatte sin historie. Kvinden kastede indimellem et blik op på ham, indskød et ord, smilede, kiggede undervejs på passagererne, som sad nærmest hende, tre mørke, midaldrende mænd, en ældre kvinde med en lille hund i favnen og en ung mand, som så ud til at være af både asiatisk og afrikansk oprindelse. Hendes blik hvilede en anelse længere på ham end på de andre passagerer, derefter så hun ikke på ham igen.

Men han så på hende.

Den mørklødede mand så på intet tidspunkt på den lyshårede kvinde, der sad ved siden af ham. Han stirrede ud ad vinduet, hvor der intet var at se andet end undergrundstunnellens mørke sider, skævede undervejs til sit eget spejlbillede. Den unge mand iagttog interesseret modsætningerne fra nord og syd, der sad side om side og ikke værdigede hinanden et blik.

Den lyshårede mand, som stod ved siden af kvinden, kiggede på intet tidspunkt på den mørklødede mand, kun på kvinden, som han talte med. Han så heller ikke på de andre passagerer i vognen, som tav og fordrev tiden med at lytte til manden og kvindens sprog.

Den unge mand, som interesseret iagttog modsætningerne fra nord og syd, så, hvordan den mørklødede mands ansigt lidt efter lidt ændrede udtryk. Øjenbrynene sænkede sig, næseborene spiledes ud, munden snerpede sammen. Med et vredt udtryk rejste han sig pludselig op og stillede sig hen til døren. Kvinden så forundret efter ham, men greb så chancen og flyttede sig, så den lyshårede mand kunne sætte sig ved siden af hende. Hvilket han så ud til at være yderst tilfreds med, og han satte sig ned uden at afbryde sin talestrøm eller bekymre sig om den mørklødede mands vredladne opførsel.

Kvinden smilede stadig og så med beundring på sin sidemand. Da havde den unge mand allerede taget et billede af den lyse kvinde og den mørke mand, uden at nogen af dem lagde mærke til det.

1

Træerne havde sneget sig nærmere huset.

Søgt lidt varme midt i kulden. Nogle af dem havde strakt deres grene op på verandaen, dværgmisplen, den mest nærgående, havde listet sig frem som en slange i mørket, så man ikke straks opdagede dens hensigter. Som sandsynligvis var at overtage solterrassen, når tiden var inde.

Sådan går det i jordens historie.

Det ved Nanna godt, hun kender vegetationen, kender sine træer bedre, end de selv aner. Det ville ikke blive let for dem at føre hende bag lyset.

Hun synes dog, det er besynderligt, at hun ikke tidligere har lagt mærke til deres indtrængen. Som om hun, da hun plantede dem året inden, ikke regnede med, at de ville vokse og trives, blive store og statelige, kræve mere plads. Hvad havde hun dog tænkt på, da hun gravede hullerne til de små beskedne vækster, de var dengang?

Den store gran og fyrretræerne, som allerede var i haven, da de købte huset, er ikke lige så fremfarende som de små. De har heller ikke nemt ved det, tunge og klodsede som de er, og det er også solidt forankrede, selvsikre træer. Strækker sig højere mod himlen for hvert år, fremkalder skygger, som lægger sig over hus og have i aftensolen om sommeren. Er ikke påtrængende og ivrige som de små, de vil helt op til døren, det er ikke til at tage fejl af. Hun har ikke lagt mærke til det før, har ikke været meget ude på verandaen i vinter.

Men nu har hun set, hvor det bærer hen. Så er der ingen

vej tilbage. Hverken for hende eller væksterne. Hun er nødt til at få sat skik på det, med grensaksen. Det er det rette tidspunkt nu, medmindre hun måske er for sent på den? Træerne er begyndt at finde forårsdresset frem, der er kommet blade på hækken. Hun bevæbner sig med en grensaks. Tager kedeldragten på, nyvasket men slidt, men netop sådan skal den være, det giver et godt indtryk af hende som gartner, hvis hun er iklædt noget passende brugt tøj. Tager pandebåndet på. Hun kører myndigt en trillebør hen til dværgmisplen, sniger sig ind på den som en fjende, bagfra.

Lige inden hun hæver grensaksen, begynder hun at tænke på den forestående sommer, om den mon bliver regnfuld eller tør, om den bliver begivenhedsløs, eller om der kommer til at ske noget, som vil forandre alt, og hun lader grensaksen synke lidt et øjeblik. Nogle gange har hun det, som om der sker et stemningsskift, uden at der er noget konkret, som forårsager det. I hendes liv, i hendes families liv, i befolkningens liv, som en række af små hændelser, som ingen helt kan sætte fingeren på, noget, der forårsager, at folks måde at tænke og opføre sig på ændres. Et eller andet fra oven, som ingen kan forklare.

Hun får en ubehagelig fornemmelse, er bange for, at noget vil forandre sig, hun kan næsten mærke det, det er, som om det ligger i luften. Og hun ser sig omkring. Så husker hun, at lignende tanker tidligere har plaget hende, når hun har arbejdet i haven, det er, som om sindet gør sig fri af sine lænker, når det mærker duften af væksterne, og springer hid og did. Bliver til det rene vrøvl. Hun bestemmer sig for at kappe forbindelsen til sine forvirrede tanker, som hun ikke engang selv begriber, og løfter på ny grensaksen.

Hun passer på ikke at klippe for meget af, da hun fjerner de mest påtrængende grene fra verandaen. Hun vil gerne bevare den beskyttelse, de giver, den hyggelige grønne ramme, som giver solterrassen et sydlandsk præg og får gæster til at føle sig omgivet af varme og tryghed i en ubekymret atmosfære, gæster, som hun byder på noget dejligt at drikke på sin terrasse om sommeren. Tanken om folk, der spiser og ler på hendes terrasse, fylder hende med en følelse af lykke, som breder sig ud over haven. Fuglene stikker hovederne frem hist og her, som om man havde kaldt på dem, de håber at få øje på en orm, nu hvor der er et menneske, der er begyndt at rode i jorden.

Da hun eftertænksomt kigger ud over sin brune og grønne have, ser hun et gulbrunt uhyre svirre ivrigt rundt uden for stuevinduet. Hun genkender krybet. Stivner. En hvepsedronning, der leder efter et sted til sit bo. Har ligget i dvale hele vinteren, men nu er hun vågen, gnaven, aggressiv.

Det møgkryb har så godt som ødelagt hendes sommerglæde, hun tør knap være i haven, når disse bæster går grassat. Der er ikke noget, hun frygter mere end at blive stukket. Hvor vidunderlige havde somrene ikke været, dengang det kun var spyfluer, stankelben og måske en enkelt blomsterflue, der summede rundt, alle sammen uskadelige insekter, selvom de var irriterende, men så ændrede verden sig på én eneste dag. Da invasionen kom.

En smuk sommerdag havde hun siddet i sin solstol og med let sammenknebne øjne læst i et magasin, da hun pludselig havde lagt mærke til nogle fluer, der svirrede omkring hende, og som især syntes at være interesserede i at komme om bag stolen, hun sad i. Hun havde ikke været særlig opmærksom på, hvilken type det var, umiddelbart havde de lignet spyfluer at dømme efter størrelsen, og hun havde for øvrigt også været opslugt af en artikel om jordens hydrologi. Men så blev hun træt af den megen trafik, rejste sig op, rev stolen væk fra husmuren for at se, hvad det var, fluerne var så interesserede i, og fik så øje på en tennisbold under sålbænken. Det forekom hende så besynderligt at se en tennisbold hænge frit i luften under en sålbænk, at hun først ikke kunne røre sig. Hvordan ville videnskaben kunne forklare et sådant fænomen, og hvorfra, med forlov, kom tennisbolden? Der var ingen, der spillede tennis i hendes familie. Hun strakte hånden frem, ville røre ved bolden, men ombestemte sig i sidste øjeblik og kaldte på Gylfi, det var faldet hende ind, at han ville synes, det var sjovt at se fænomenet. Men han kiggede kun et øjeblik på bolden og sagde så roligt, at det var et hvepsebo. Hun var lige ved at gå fra forstanden. Helt svedig af angst bladrede hun gennem telefonbogen for at finde nummeret til en skadedyrsbekæmper, men imens fjernede han så let som ingenting boet med et vandglas og et stykke pap som våben. Hun fandt aldrig ud af, hvad der skete med boet, hvor han gjorde af det.

Dronningen er altså vågnet af sin vintersøvn.

Hun tvinger sig selv til at tænke rationelt, og det er ved at lykkes, da dronningekrybet bestemmer sig for hellere at ville bygge bo i haven ved siden af. Og flyver bort. Lige pludselig.

Selvom Dúi siger til pigen, der arbejder som nattevagt, at det var bilens skyld, at han kom for sent på arbejde, havde han i virkeligheden bare haft problemer med at beslutte sig for, hvilket tøj han skulle tage på. Vejret havde pludselig krævet nogle lysere farver, der var noget trist over at være i sort, når solen skinnede, og træerne ved hotellet var ved at finde forårsdresset frem. Så han havde taget den mørkeblå jakke frem, som stod godt til den lysegrå skjorte, hverken en påfaldende eller skrigende sommerfarve, og alligevel var der en italiensk lethed over den, men så havde den lysegrå skjorte, som han var allergladest for, været til vask, og han havde været tvunget til at finde på noget nyt. Det havde taget lidt tid.

Han kommer aldrig for sent til sit arbejde på hotellet, selvom han godt kan lide at sove længe om morgenen, så det er jo ikke verdens undergang, at han en enkelt gang jokker i spinaten. Men han synes alligevel, at det er ubehageligt, hotelejeren er mødt, sidder i et hjørne med sin computer.

Gylfi plejer at starte dagen på sit lille hotel med at tage en kop kaffe og læse de udenlandske aviser på sin bærbare. Det gør han alle arbejdsdage lige efter klokken otte, hvis han ikke er ude på landet for at fiske eller i udlandet. Sidder i cirka fyrre minutter og lader sig ikke forstyrre af byen, der lige er vågnet. Når han har løbet de internationale nyheder igennem, rejser han sig og hilser i forbifarten på dem i receptionen og på pigen i kaffebaren, inden han tager op på sit kontor på det store hotel. På det hotel, som Dúi drømmer om at være leder for i fremtiden. Af den grund er selv ubetydelige fejltagelser på karrierens vej uheldige.

Dúi skeler til ejeren, hans morbrors nevø, spekulerer på, om han mon har set ham komme ind, men Gylfi har hverken kigget op eller skiftet stilling, efter at han trådte ind i foyeren. Dúi ved dog godt, at man aldrig bør undervurdere de mennesker, som ellers ser alt.

Han afløser pigen, som har haft nattevagten, skubber sin hund ind under receptionens skranke, hvor den ligger om dagen på en blød måtte og slumrer. Man hører aldrig så meget som et enkelt bjæf fra den, og det sker kun sjældent, at den tripper en tur rundt i foyeren for sit helbreds skyld, den er også halt. Den er ikke til besvær, tværtimod er personalet glad for den, ikke mindst ham selv, ejeren, som har overopsyn med receptionen og det lille kaffehjørne, hvor hotelgæsterne planlægger forskelligt, inden de tager af sted på sightseeing.

Pigerne i kaffehjørnet sniger sig tit til at stikke den en kiks, så stirrer den på dem med uforfalsket beundring. Det kan de aldrig modstå, tager den op, klør og kæler for den. Dúi påtaler det ikke, han forstår deres følelser, men han holder Olli væk fra gæsterne, som kommer på hotellet, tysser hurtigt på den, når der kommer grupper ind, så ved Olli, at nu skal han tage sig en lur. Man kan aldrig vide, hvad gæster synes om hunden, den kan være til irritation for dem.

Han har dog lagt mærke til, at velhavende, udenlandske turister ofte er begejstrede for skødehunde som Olli. Nogle gange har de ved et uheld fået øje på den og er kommet med beundrende udbrud. Og har selvfølgelig af den grund fået den bedste service, hotellet kan tilbyde.

Men der kommer også mærkelige turister, enspændere og

excentrikere, som rejser rundt i verden på cykel og med rygsæk, kommer fra steder med så mærkværdige navne, at han ikke kan udtale dem, og hvordan skulle han kunne vide, hvad de synes om hunde?

Ham, der sidder ved vinduet med sin kop te og studerer turistbrochurer, kunne såmænd godt være fra et af de steder, selvom hans kreditkort er fransk. Det skal man ikke lægge så meget i, folk er blevet så internationale. Han er en flot mand, og det kamera, som han har sat fra sig på bordet, er ikke af den værste kvalitet, det er kun professionelle, som har den slags apparater, det ved han.

Pigen i kaffebaren tripper over til Dúi med et par kopper kaffe, ligesom hun plejer at gøre om morgenen, når der er roligt i receptionen, én kop til ham og én til hende, de får sig en snak om det seneste døgns begivenheder, hun fortæller ham om sin kat, som vækkede hende ved femtiden, og han fortæller hende om den kylling, som han aftenen før havde lavet til sig selv og sin morbror Finnur, hvordan han kulinarisk havde improviseret og fået stablet en fantastisk ret på benene.

Han får aldrig tid til at forklare fremgangsmåden, hotelgæster, som skal på en sightseeing, strømmer ud af elevatoren, vil have oplysninger om det ene og det andet, mens de venter på bussen, pludselig står fotografen foran ham.

Han er cirka fem centimeter højere end mig, er det første, som falder Dúi ind. Manden vil have oplysninger om biludlejning, og Dúi finder en prisliste frem, som han har fra et biludlejningsfirma, gør ham opmærksom på de mest favorable muligheder, remser tal op, men da han ikke får nogen reaktion fra gæsten, ser han op for at finde ud af, om han overhovedet hører efter, hvad han siger. Hvilket han ikke gør. Han stirrer hen over Dúis skulder, direkte over i hjørnet, hvor Gylfi sidder.

Det er, som om han har fået øje på noget, der kommer fuldstændig bag på ham.

Hans ansigt lyser først op i forundring, munden åbner sig, øjenlågene sænker sig, så glimter det i øjnene, som om han ser en mulighed for at sejre, selvom det er usandsynligt, at hans hold vinder, derefter glæde, præcis som om det netop lige er lykkedes ham at springe på et tog i sidste sekund, og endelig beundring, som om hans blik er blevet fanget af et kunstværk, som han altid havde drømt om at se.

Hans ansigtsudtryk bringer Dúi ud af balance, tusind sommerfugle flakser rundt i hans hoved, han stirrer på mandens bryst, mens han forsøger at komme til klarhed over hans følelser og sine egne, mærker mistænksomheden vokse i sit bryst, som i næste øjeblik bliver skubbet bort af jalousi, den følelse gør ham nervøs, han forstår den ikke, men lader som ingenting, er høfligheden selv, folk i hans position er trænet i sådan en væremåde, uanset hvad der sker.

Fotografen ser på ham, nikker så med hovedet i retning af Gylfi, spørger på sit udmærkede engelsk, om det er en kendt person, der sidder der. Dúi kaster et hurtigt blik over skulderen og ser over på Gylfi, som om han ikke havde lagt mærke til, at der sad nogen der, svarer så kort, men høfligt, at det er det ikke, peger resolut på nogle tal i prislisten og forventer en reaktion på dem, men så bliver fotografen ved, spørger om han ved, hvem manden er, som sidder derovre i hjørnet.

Dúi bliver forlegen, ved ikke om han skal svare på sådan et spørgsmål, men indser så, at det vil virke tåbeligt at lade, som om det er en hemmelighed, hvem manden er, og siger, at det er hotelejeren.

Hvad hedder han? spørger fotografen, og fordi han smiler, da han spørger, fortæller Dúi ham navnet. Spørger så selv henkastet, han indser senere, at han burde have været mere velovervejet, hvorfor han vil vide, hvad han hedder. Fotografen siger så, og virker meget naturlig, at han har set denne mand i et udenlandsk ugeblad, og tilføjer, at han må være lidt kendt. Dúi bekræfter det, siger, at de fleste i landet kender ham, i hvert fald fra billeder, han har indimellem optrådt i medierne på grund af sit arbejde.

Men fotografen er forsvundet fra skranken, inden Dúi kan

nå at spørge ham, i hvilket udenlandsk ugeblad han havde set et billede af Gylfi, han ville gerne have vidst det, og manden synes at have mistet interessen for udlejningsbiler. Han står ved et af kaffebordene og fingererer ved sit kamera med et selvbevidst udtryk i ansigtet og uden at sætte sig ned, så går han udenfor, hvor gruppen står og venter på bussen, og ser ud, som om han vil slutte sig til den.

Så ser Dúi, hvordan han med ét vender sig om mod hotellets vindue, hvorigennem man kan se direkte ind i receptionen, og retter sit kamera mod det.

Kældervinduerne stirrer tomt ud i haven.

Inden for vinduerne befinder gartnerens domæne sig i et stort værelse, som på samme tid fungerer som stue og køkken, badeværelset ligger i en lille gang ved køkkenet. Længere inde og i forbindelse med lejligheden, som enkelte gange har fungeret som overnatningssted for gæster, ligger pulterrummene. I det ene af dem opbevarer Nanna sine redskaber, havesakse i forskellige størrelser, skovle og alle mulige slags river, muld i poser, gødning, frø, insektgift, blomsterkrukker og urtepotter.

Urtepotterne er arrangeret efter størrelse på hylderne, nogle er af plastic, andre af ler, de står stablet oven i hinanden, rene og stolte, gamle og nye, leret skinner på nogle af dem. Nanna udvælger omhyggeligt dem, hun vil bruge, når hun potter blomster om eller udplanter stiklinger. Stueplanterne bliver alle sammen behandlet på bordet i køkkenet i den lille lejlighed, får også lov til at hvile sig efter behandlingen, det er anstrengende at blive flyttet fra én potte over i en anden, rødderne kan være følsomme, bordet i køkkenet er ofte dækket af potteplanter, som rehabiliterer, og ved køkkenvasken står de mindste urtepotter i én lang række med stiklinger, som er ved at slå rødder og har brug for ro. Lyset er udmærket i kælderlejligheden, som vender mod syd, Nanna trækker næsten aldrig gardinerne for, hun kan godt lide at se ud i haven, mens hun tager sig af de indendørs planter.

Papegøjenæbbets blomstringstid er forbi, den blomstrer om vinteren og til hen på foråret, mens andre planter forsøger at holde ud gennem den mørke vinter, men nu er de gule og røde blomster falmet og faldet af de hængende grene.

Det er ved at være på den tid, hvor Nanna skal forberede den stedsegrønne plante på sin sommerlange søvn. Hun sætter den i en lidt større urtepotte, giver den ny muld, tørrer varsomt de hårede blade med en våd klud, opmuntrer den og overbeviser den om, at søvnen vil styrke den, den kommer heller ikke til at gå glip af noget, selvom den blunder sommeren over. Når hun har sikret sig, at papegøjenæbbet har det godt og ikke bekymrer sig, vil hun sætte sig ind i sofaen og læse om nogle buske, som hun har udset sig som alternativ til dværgmisplen, hun har en hel stak bøger om havebrug liggende på sofabordet, men så kommer hun til at kaste et hurtigt blik ud ad vinduet og får øje på en taburet ved hækken.

Hun kommer i tanke om, at hun har besluttet sig for at sprøjte hækken i god tid, så larverne ikke begynder at spise af bladene. Et øjeblik overvejer hun, om hun først skal kaste sig over hækken og dernæst tage dværgmisplen eller omvendt, det er en svær beslutning, det gør hende ondt at miste misplen. Denne yndige plante, som rødmer så smukt om efteråret, som vækker en frydefuld fornemmelse i hende, hver gang hun kommer gående eller kørende op til sit hus, den bliver hun nødt til at ofre. Den smukke røde farve. Hvepse tiltrækkes af dværgmisplen, når den blomstrer.

Hun ved, hvilke slags vækster, der appellerer til forskellige insektarter, hun havde studeret det i en periode. Hun havde længe haft lyst til at oversætte bøger om økologi, men fordi hun ikke havde taget eksamen i faget, syntes hun ikke, at hun kunne bede forlæggeren om at få lov at oversætte den slags bøger. Han vil også hellere have, at hun fortsatte med at oversætte kriminalromaner, dem var folk altid interesseret i.

Efter at have tænkt over det bestemmer hun sig for at starte med at sprøjte hækken og vente med at aflive misplen og går ind i haveskuret for at lave en giftblanding. Tager beskyttelsesbriller på, og iført de gule havehandsker finder hun en femliters trykbeholder med spraydyse frem, fylder den med vand og putter en teskefuld insektgift i.

Hun sprøjter hele hækken, er længe om det, hænger næsten over arbejdet, véd med sig selv, at hun bare trækker tiden ud for ikke at skulle gå i gang med at udrydde yndlingsbusken.

Dværgmisplen står inden for hækken. Tre buske på række, deres blade er stadig små og friske, skælvende af livsglæde, hun får tårer i øjnene, mens hun dræber dem, da hun klipper den første busk ned. Hun går roligt frem til at begynde med, det værker lidt i håndledsmusklerne, men lidt efter lidt begynder hun at arbejde hurtigere, bøjer sig over planten, og efter kort tid springer sveden af hende.

De trætte skyer giver omsider efter for den påtrængende sol, så den kan dykke ned i haven og varme de gule havehandsker. Nanna retter sig hurtigt op for at mærke dens varme i ansigtet, men så får hun øje på ham.

Han står ved hækken. Ser eftertænksomt på hende. Tiden går langsomt, de stirrer på hinanden, så smiler han undskyldende, nikker og går videre som enhver anden forbipasserende. Hun ser efter ham, han bærer på et flot kamera med en taske til, som hænger over hans ene skulder.

Nanna spekulerer på, om han mon har taget et billede af hende.

2

Hunden sidder på luksusudgaven.

Den vil helst sidde oven på de store bøger på Finnurs skrivebord, mens Dúi laver mad ude i køkkenet. Kokken tramper så voldsomt rundt, at det kan være farligt for små, halte hunde at gå for meget i vejen. Den vælger derfor, ligesom Finnur, at holde lav profil inde i det stille bogværelse, mens madlavningen er på sit højeste, og lytte til de dæmpede arier og nøje studere de bogholderital, som Finnur ikke kan få til at stemme. De hopper rundt på computerskærmen, han har fuldt op at gøre med at kontrollere dem.

Eftermiddagssolen står lavere nu, i højde med vinduerne, den reflekteres i skærmen og kaster et skarpt lys ind i øjet på Olli, der ligner en énøjet pirat oven på luksusudgaven.

Larmen tager til i køkkenet, Dúi har skruet op for radioen for at gøre madlavningen livligere, så ved Finnur, at han er begyndt at nippe til hvidvinen, som han bruger i saucerne, solen har vækket længslerne i ham. Finnur forsøger at bære over med hans musiksmag, mens madlavningen står på, og han ved også, at skråleriet holder op, når maden er kommet på bordet. Stemningen i køkkenet tyder på, at en bytur er under opsejling, Dúi dropper ikke at feste igennem i weekenden, medmindre han er på vagt eller har fået influenza, så Finnur hidser sig ikke op, han ved, at han kan spille sin musik i fred, når knægten er taget af sted. Selv går han sjældent ud, der er ikke meget, han finder mere kedeligt end at sidde i larmen på et eller andet dansested og lade, som om han morer sig.

Det sker indimellem, at han er tvunget til at gå på værtshus med folk efter en privat sammenkomst eller efter en middag på restaurant, udlændinge synes, det er sjovt at komme ud i nattelivet.

Vi bliver bare hjemme i aften, siger han til Olli, jeg skal nok være din barnepige, men du skal vide, at jeg er bekymret for din far, mærkeligt at han ikke er begyndt at tænke på at blive gift, han er trods alt tredive år.

Det er nogle gange faldet Finnur ind, at Dúi måske er en af disse nye typer, som er begyndt at dukke op i storbyer. Unge mænd uden kærester, som undgår at binde sig, men konstant er på dates, går meget op i deres udseende, påklædning og frisure, bruger dagcreme og sollotion, har mange veninder, som de taler med om mode, han har hørt, hvordan Dúi taler i telefon, unge mænd, som holder deres hjem ordentligt og pertentligt, det gjorde Dúi unægtelig også, inden hans lejlighed faldt i bankens klør, unge mænd som sidder på café, drikker café latte, går på museer og gallerier, indimellem er han endda taget til klassiske koncerter sammen med ham, hans morbror, uden at være blevet opfordret til det. Traditionelt set er han ikke særlig mandig i sin optræden, men hans nevø Dúi er en intelligent dreng. Han vil hjælpe ham, indtil han igen får tag over hovedet, og det er jo heller ikke staklens skyld, at han mistede sin lejlighed. Han vil lade ham bo i gæsteværelset lige så længe, han har brug for det. Og give ham lov til at prøve kræfter med madlavningen, han synes at have fornøjelse af det.

Til den sidste koncert benyttede Finnur sig af lejligheden og købte tre nye cd'er. Én af dem er til Nanna, de forsyner hinanden med cd'er, som de ved, at den anden gerne vil have, men ikke ejer. Hans anden nevø interesserer sig ikke lige så meget for klassiske værker, faktisk aner han ikke, hvilken slags musik, Gylfi kan lide. Men han køber alligevel altid cd'erne til Nanna, når han er ude at rejse. Hun tager sjældent til udlandet, hun synes, lufthavne er kedsommelige.

Finnur ser op fra skærmen og over på Olli, mens han tænker. Olli kigger spørgende tilbage på ham, prøver at tyde hans ønsker, men så bliver der småsyngende kaldt på Oliver ude fra køkkenet, hunden bliver kaldt ved sit fulde navn, hvis der er noget, den skal. Finnur hjælper ham ned fra skrivebordet, siger, at han måske vil tage ham med ud at gå aftentur, hvis han er dygtig og spiser sin mad.

Roserne skælver af forventning.

Halvbrødrene står i et drivhus ude på landet, og den ældre spørger den yngre, om ikke han skal have sig en kone igen og opføre sig som en mand.

De står som to afskårne stængler i et farvestrålende blomsterhav med duften af roser og geranier i næsen. Roserne venter spændte på den yngste brors svar, vil vide, om han vil gifte sig igen, roserne deltager som oftest i bryllupper, men de to mænd venter på, at pigen, som betjener dem, samler stedmoderblomsterne, som bliver dyrket uden for drivhuset og står og keder sig i regnen, sammen til dem. De er til Hjálmars mor, hun sætter dem i blomsterkasser på sin altan om sommeren og lader det være nok med denne ene art, hun kan godt regne med, at stedmoderblomster holder sig til ud på efteråret, uanset hvordan vejret er hen over sommeren, de er så udholdende. Nanna har derimod helt særlige ønsker, hvad angår dyrkning af planter på solterrassen, på en seddel har hun skrevet navnene på blomster, som ingen af brødrene kender til.

Da pigen har samlet stedmoderblomsterne sammen, giver Gylfi hende sedlen og understreger, at de nævnte planter skal være friske og smukke, ellers bliver han sendt tilbage med dem. Han ser med det samme, at han ikke behøver at gøre sig nogen bekymringer, ansvaret og interessen lyser ud af pigen, mens hun vimser omkring dem. Det er tydeligt, at den berømte skuespillers tilstedeværelse spiller en stor rolle for hendes opførsel, hun formår knap at tage øjnene fra Hjálmar, hun glæder sig sådan til at fortælle de andre piger om, at hun har betjent en så berømt mand, hun vil også fortælle dem, hvad han har købt.

Hendes beundring er ikke undgået skuespillerens opmærksomhed. Mens han taler med sin bror, har han i tankerne vejet og vurderet hende, har spekuleret på, om han ville bryde sig om at nedlægge hende. Gylfis kritiske bemærkninger forstyrrer disse velbehagelige tanker, gør ham irriteret, så han spørger tilbage, og kan ikke nære sig for at være en anelse studs, om det ikke er unødvendigt at blande sig i, hvordan en mand midt i trediverne lever sit liv?

Det mener Gylfi ikke, han synes, at han forsøger at redde hans rygte og ære ved at påpege, at det er kørt af sporet for ham, når han bor hos sin mor, er far til to børn, og egentlig synes han, at han som bror er i sin gode ret til at nævne det.

Hjálmar får den tanke, at Gylfi endda har fået nys om hans ærinder på hotellets værelser. Dúi skaffer ham undertiden et værelse, når han har brug for at tale med sine veninder under fire øjne, som han kalder det, måske i en time eller deromkring, han ved, at han ikke kan tage dem med hjem, eftersom hans mor er hjemmearbejdende. Desuden afholder hendes gemyt enhver almindelig mand fra at tage elskerinder med hjem. Dúi har dog gjort det helt klart, at det at skulle skaffe ham en elskovsrede ikke er noget af det mest morsomme, han kan foretage sig, og desuden burde han vide, at folk kan blive fyret, hvis det bliver opdaget. Og det ved Hjálmar, eller han kan i det mindste forestille sig det. De kender begge ejeren, og selvom det siges, at han er flink, så ville han uden tvivl blive meget lidt begejstret, hvis han fik at vide, at hans hotel bliver brugt som bordel. Også selvom det drejer sig om en fraskilt halvbror.

Han bestemmer sig for at holde lav profil, så de ikke skal komme ind på den slags ting, nikker samtykkende og siger, at han forstår, hvad han mener. Men samtidig kan han ikke undgå at tænke på, hvordan han og hans brors fortid altid dukker op i deres forhold, altid skal det være Gylfi, der på en eller anden måde har overtaget, som om han er bedre, mere moden.

Og det stammer ikke fra noget godt, det er deres fars skyld. Han havde fået ham uden for ægteskabet med en af sine mange elskerinder, mens han derimod fik Gylfi med sin kone, som var af en rig slægt. Manden fik nogle penge, da de blev skilt, dog ikke ret mange, for konen var blevet rådet til at få udformet en ægtepagt, inden hun giftede sig med ham. Efter at de var blevet skilt, blev hun til hans store fortrydelse endnu rigere, men da var han flyttet sammen med Ingdís, Hjálmars mor. Ved at ødsle sine penge bort på spil og pengespekulationer lykkedes det ham at miste den formue, han havde ejet, og sende mor og barn ud i tiggergang efter sin død. Som indtraf hurtigt, han blev fundet død ved bredden af en flod med en stor fisk i favnen og en flaske whisky ved sin side.

Som trediveårig stod Gylfi som enearving til hotellerne, men var også forældreløs, for da havde han også mistet sin mor. Om det var længslen efter en familie eller i det mindste efter at sikre samværet med dem, som var beslægtede med ham, eller om det var grundet i den retfærdighedsfølelse, som unge mænd ofte gribes af, så helmede han ikke, før hans bror, som boede sammen med sin mor, havde fået fast ejendom. Hjálmar ejede ifølge loven den bolig, som han og hans mor boede i, men kunne på grund af pengemangel ikke smide hende ud, så han kunne bo der alene, han var nu engang hendes eneste barn, og han kunne heller ikke købe noget andet at bo i hverken til sig selv eller hende. Da han giftede sig med Ása, havde de købt en lejlighed, som hun havde beholdt efter skilsmissen, og hun beholdt også børnene. Han blev nødt til at tage hjem til sin lejlighed, hvor hans mor boede, han betalte børnepenge og havde børnene hver anden weekend.

Nogle gange vidste han ikke, om han skulle være sin bror taknemmelig for gaven. Men hans mor havde nydt godt af den og han selv på sin vis også, han og hans bror var kommet tættere på hinanden. Når alt kom til alt, havde de mange ting til fælles, og de kom godt ud af det med hinanden, især når deres farbror Finnur var sammen med dem. Han og deres far var brødre. Finnur var kun elleve år ældre end Gylfi, havde en evne til at bilægge stridigheder, at se tingene fra en ny synsvinkel, komme med løsninger, som alle kunne acceptere, og deres fælles interesse var det bånd, der bandt dem sammen.

De havde alle fornøjelse af at fiske. Og det var fiskeriet, som var grunden til, at brødrene var taget en tur vestpå, eller rettere sagt så var det, fordi Gylfi ejede en fiskehytte, og den skulle tjekkes en gang om året og gøres klar til den kommende fiskesæson. Køleskabet havde længe været i uorden, så Gylfi havde købt et nyt og temmelig stort et og havde fået lillebroren til at smutte med sig op med skabet. Han havde villet gøre det selv, ville ikke hyre nogen til at hjælpe, fiskehytten var et fristed, et helligt tilholdssted for ham og hans familie. Nanna interesserede sig ikke stort for fiskeri, selvom hun indimellem tog med. Men hun benyttede sig af hans tur, og da Ingdís, Hjálmars mor, hørte, at de ville kigge forbi et gartneri på vejen tilbage, greb hun også chancen.

Så spørger det noble menneske dér midt i blomsterhavet, om ikke han skal finde sig en anden kone og opføre sig som en mand. Han ved knap, hvad han skal svare, har ikke selv funderet over, hvad der ligger i begrebet at være en mand. Skal man være gift og leve inden for fuldstændig faste rammer for at kunne blive regnet som mand i samfundets øjne? Han er ikke sikker på, om han har lyst til at leve sådan et liv.

Termometret ligger på bordet i badeværelset.

Det viser niogtredivefire, ved siden af det står et glas med sprit og en krukke vaseline. Det kan ikke forbigå nogens opmærksomhed, som har et ærinde på badeværelset og får øje på termometret, at den, der har anvendt det, er meget syg. Faktisk så syg, at personen ikke engang har haft åndsnærværelse nok til at gøre termometret rent og lægge det tilbage i hylsteret, så syg, at vedkommende da slet ikke er i stand til at passe et barn i den forfatning.

Ingdís elsker sine børnebørn, vil gøre alt for dem, men er

blevet lidt træt af aldrig at kunne bruge sine weekender på at dyrke sine interesser og sit arbejde. Enten går weekenderne med rengøring, tøjvask, indkøb og madlavning eller med at have travlt med børnene. Når det er Hjálmars tur til at have børnene i weekenden, er det i virkeligheden hendes tur. Hun skal passe dem, underholde dem, helst lave noget sjovt sammen med dem for at holde dem i godt humør, så sønnen kan hvile sig i løbet af dagen, inden han træder ind på scenen, det kræver mange anstrengelser, eller også skal han til prøvefilmning eller på ridetur med instruktørerne, det koster sit at være stjerne, det ved hun bedre end nogen, og hendes Hjálmar har talentet, han er nødt til at være i forreste række. Det er syndigt at stå i vejen for kunstnere, det kommer også alt sammen frem senere i deres memoirer. Hun vil ikke være på den liste, hun vil være en, man mindes med varme og respekt.

Hun har også smurt brun farve under øjnene for at overdrive de mørke rande, pudret ansigtet hvidt for at se blegere ud, smurt gelé i håret, så det ser ud, som om hun har svedt meget i løbet af natten, som folk med høj feber gør, og nu venter hun under dynen i sit værelse med et forpint udtryk. Med ondt i kroppen. Venter på, at hendes søn skal stå op og se, hvor syg hun er, helt ude af stand til at passe børn i en hel weekend.

Under dynen ligger hun med ansøgninger fra forfattere, som søger om støtte fra teatret til at skrive et stykke, hun sidder i nævnet, som skal udvælge de mest lovende værker, det er hende magtpåliggende at sidde i så mange nævn som muligt, og hun har tænkt sig at tilbringe weekenden under dynen med at gennemgå ansøgningerne, og desuden vil hun hygge sig lidt, når Hjálmar er taget hen på teatret, drysse rundt i sin morgenkåbe med et glas hvidvin i hånden, så har hun det, som om hun er tyve år igen, hun vil lytte til blues og bikse en ret sammen med noget kyllingebryst.

Hun hører ham gå ud på badeværelset, så hun lader hurtigt hovedet falde over til højre, så lyset ikke falder på hendes ansigt, og lukker øjnene. Prøver at forestille sig, hvad han vil lave med børnene i løbet af dagen, nu hvor hun er ude af kampen. Der er ikke meget, man kan foretage sig med børnene i midtbyen, den er designet til folk i underholdningsalderen. Han kunne nu måske tage dem med i et shoppingcenter, dér er der altid noget legetøj, trøster hun sig med, og hører ham så komme ud fra badeværelset og gå ud i køkkenet uden at se ind til hende. Hun hører, hvordan han fylder vand på kaffemaskinen, åbner køleskabet for at tage smør og ost frem, hører smældet fra brødristeren, raslen af aviser, det strejfer ham ikke engang at tjekke, hvor hun er. Som om han egentlig bare synes, det er rart at være fri for hende. Hun bliver såret, det gør hende bare endnu mere syg.

Pludselig står han i døren, hun er så heldig, at hun netop i det øjeblik ligger med lukkede øjne, og siger, at han er nødt til at hente børnene. Om hun ikke snart står op? Hun svarer lavmælt og svageligt, at hun har feber og ondt i kroppen, men han siger, at det ikke ændrer noget for ham, han er nødt til at hente børnene, deres mor skal til fødselsdag, og han skal på filmoptagelse over middag. Hun sætter sig halvt op i sengen, siger, at hun ikke kan være sammen med børnene i dag, hun er meget syg, som han jo kan se. De er ikke til besvær, siger han tørt, som om hun har antydet, at hans børn fylder for meget, de ser bare fjernsyn, jeg køber nogle film til dem.

Det er en ære for hende at have en berømt søn. Trods det, at hun selv er respekteret inden for sit felt som forfatter til fagbøger om religion, sidder i alle nævn, så blegner hendes egne fortræffeligheder og karriere, når folk opdager det, som de ikke tidligere vidste, nemlig at hun er mor til den berømte skuespiller. Så bliver hun mødt med et specielt smil, får god service, lyset fra ham falder på hende, hun sikrer sig en position i samfundet takket være ham. Det er vigtigt for hende efter den ensomme kamp, hun har kæmpet i årene før.

Derfor kan hun ikke være vrissen over for børnene, da de kommer trippende ind sammen med deres far. Heller ikke selvom hun havde andre planer.

Læhegnet ved verandaen er for højt, Nanna er nødt til at stå på en skammel for at kunne male den øverste kant. Hun har valgt en lidt mørkere nuance end tidligere, den gule farve tiltrak for mange væmmelige bæster, som hun ikke bryder sig om at nævne.

Gylfi har båret det store bord og havestolene ud for hende, hun breder en småternet dug ud over bordet, lægger grønne hynder i stolene, vejrudsigten har lovet sol og tørt vejr.

Der står en kande med vand og tre citronskiver på en blomstret bakke på bordet, omgivet af vandglas, som om hun venter gæster.

Gylfi peger på glassene, spørger om hun venter at få en større forsamling på besøg, selv ved han ikke af, at han skulle have inviteret nogen til spisning eller drinks, men hun siger, at hun bare har stillet det op for at skabe stemning. En opstilling med en kande vand og nogle glas er så smuk på et sommerbillede.

Han spejder rundt, ser ikke noget kamera ude på verandaen og kommer så i tanke om noget, som han næsten har glemt. Samtidig med at han tager jakken på, som han har stået med i hånden, siger han, lidt henkastet, at hun måske gerne lige vil vide, at han er blevet opsøgt af en udenlandsk fotograf, som har spurgt, om han må tage billeder af ham i forskellige situationer, manden er vist ved at lave en bog om landet og samfundet.

Og hvad svarede du? spørger Nanna, men er mere interesseret i læhegnet end i ham, og han siger, at han har lovet at tænke over det.

Han strækker sig op til hende for at give hende et farvelkys, og han gør det uden at se hende i øjnene og siger, at han meget hellere ville have siddet med hende midt i sommerbilledet i stedet for at tage til møde, og hun nikker og siger, at det ved hun godt. Så spørger han til nogle dagligdags ting, om deres datter skal være oppe på museet hele dagen for at læse, selvom han godt ved, at det skal hun, han skal selv køre hende derop, fordi hendes bil er på værksted, og han kan så tage hende med hjem igen på tilbagevejen.

Nanna siger, at sådan må det være, hun skal selv være ene og forladt derhjemme hele dagen. Siger det for sjov og tilføjer, at det er fint at være alene, når der er mange ting, der skal ordnes. Når I kommer hjem til aften, skal I nok få noget godt at spise, siger hun, jeg overvejer at lave en gryderet med lam, så har I noget at glæde jer til.

Men da far og datter kører, overmander ensomhedsfølelsen hende. Den lukker sig om hendes hjerte, hun kan ikke kontrollere det. Den får hende til at føle sig udmattet, hul, hun er nødt til at sætte sig ved sit sommerbord, mens følelsen driver over.

Hun har ofte haft denne følelse på det sidste, hun føler, at den har noget med Gylfi at gøre, men ved ikke hvor den stammer fra.

Hun holder penslen i hånden, stirrer på dens lysebrune hår, ser en anden veranda for sig. Gamle stenfliser, små blomstrende planter i store brune lerkrukker, et dækket bord under et skyggefuldt frugttræ, en lysende gul vinkande på en blåternet dug, en skål med skinnende røde tomater, en anden med salat, brød i en kurv, folk der snakker, klavermusik inde fra huset, hende selv, der sidder og laver hjerter af nødder, iklædt sommerkjole og sandaler.

Træerne betragter hende, som hun sidder der i stilheden. Hun ved, at de ser på hende, og derfor fortrækker hun ikke en mine. Med årene har de sneget sig nærmere huset, men de tror ikke, at hun har lagt mærke til det. Gør sig ikke klart, at Nanna lægger mærke til alt, selvom hun lader, som om hun intet ser. Hun rejser sig op, det er ved at gå over, siger hun til penslen, det er måske bedst at vente lidt med læhegnet og i stedet forsøge at stille såkasserne op, som rucolaen skal være i. Faktisk er hun ved at lægge sidste hånd på den opgave.

Om hundrede år vil alle de, som opholdt sig i køkkenet, være døde. Måske før, om halvfjerds år, halvtreds år, hvem vil så være i dette køkken? Når hendes mor og far er døde og måske også hende selv. Hun har tidligere haft denne mærkelige massedødsfølelse. Dengang var hun i kirke. Var blevet tvunget til at møde op til en begravelse med sine forældre. Så kiggede hun ud over folkene i kirken og tænkte, de er alle sammen døde om hundrede år. Om ti år er fem fra forsamlingen forsvundet, om tyve år er seksten forsvundet og så videre, indtil alle ville være borte. Alle disse mennesker, som troede, at de ville leve evigt.

Da hun var lille, troede hun, at hendes forældre altid ville se ud på samme måde og leve evigt. Så kom de dårlige tider, hvor hun opdagede, at de skulle dø ligesom alle andre mennesker. Disse elendige mennesker, som altid skulle dø. Hendes forældre var blevet ældgamle, det var hun nødt til at indse, de var begge langt over de fyrre. Og var også forfærdelig almindelige, foretog sig aldrig noget sjovt. Alligevel var de stadig lidt søde, når de gik i vejen for hinanden i køkkenet, mens de lavede morgenmad til hende, fordi hun skulle tidligt op på museet for at læse til den pokkers eksamen.

Ellers sov hun altid længe i weekenderne, mens de spiste morgenmad, så ikke, hvad de gik og puslede med. Hun havde heller ikke lyst til at vide, hvad de gik og nussede med, når de var alene, ville ikke vide det. Nu skulle de være alene hele sommeren, mens hun tog ud på landet, så kunne de bare pusle, så meget de ville. Og hun ville savne dem. Og tænke på dem, hyggeaftenerne, hvor hun så fjernsyn sammen med dem med hovedet i mors skød og fødderne hvilende på far, eller bare når de spiste sammen i weekenderne og havde det rart, og de fortalte hende om, hvordan de havde mødt hinanden. Hvilket hun syntes var helt genialt, og hun havde også noteret mange punkter ned om det. Og havde filet lidt på historien. Egentlig stod den klart og tydeligt for hende, hun manglede bare at skrive den ned. Men det vidste de ikke noget om, vidste heller ikke, at hun havde tænkt sig at blive en kendt forfatter. Som overhovedet ikke havde tænkt sig at overtage de åndssvage hoteller. Selvom hun havde læst erhvervsøkonomi for deres skyld.

Der var støvregn og bidende kulde i luften, højsæson i byen, folk var på vej fra arbejde og havde handlet, metrotogene var propfulde. Han nåede lige akkurat at mase sig ind i et af dem, trængte sig stædigt ind i menneskemængden, og dørene var lige ved at lukke, da hun sprang ind og lige i favnen på ham. Han gjorde to ting på samme tid, greb fat i hendes arm og gjorde plads til hende, selvom det næppe var muligt at tale om plads i den forbindelse, trykkede hende fast ind til sig, så fast, at de næsten blev ét menneske. Ingen af dem kunne få vejret. Og de brød sig ikke om at se hinanden ind i ansigtet. Han ville ikke have gjort dette for hvem som helst, skabt plads, når det så ud til at være nærmest uladsiggørligt, men han var så sensitiv, at han på en brøkdel af et sekund havde forstået, at der fulgte en duft med denne kvinde. Havde på et øjeblik set, at hun ikke lignede nogen af de andre, som rejste med toget på dette tidspunkt af dagen. Eller nogen dage overhovedet. Det her var en kvinde, som kørte rundt i byen i en dyr bil, måske med chauffør, det var ikke utænkeligt, og tog en taxa, hvis der var behov for dét. Noget måtte være gået galt, siden hun tog med metroen. Han så ned på det skinnende hår, vidste, at det omgav et yndigt ansigt, mærkede den silkebløde kashmiruld på hendes frakke under sine fingerspidser, indsnusede hendes duft, der var fuldstændig, som han havde forventet. Og hun, hun så direkte ind i hans skjortebryst. Hans frakke var knappet op, og den øverste knap i hans jakke var gået op, da han strakte sig efter et håndtag, så hun så direkte ind på hans bleggule, småternede skjorte med de små perlemorsknapper. Det var lige før, hendes næse rørte ved hans bryst. Der kom en ren, frisk lugt fra ham. Hun skævede til siden og så, at stoffet i hans frakke var glimrende, selvom kvaliteten ikke var den samme som i hendes frakke, og der var ingen tvivl om, at hans tøj var godt brugt. Det var hans renhed, denne uimodståelige renhed, som var så tydelig, der betød, at hun ville ønske, at hun kunne stå sådan her længe. Hun havde set et glimt af hans ansigt og hans hår lige inden, han trykkede hende ind til sig. Hans hud havde været lys, øjnene intenst blå og håret så lyst, at det næsten var hvidt. Hun var næsten sikker på, at hans hår blev kridhvidt i sol. Sådan stod de tæt sammen, og selvom der var alskens lugte i luften, der omgav dem, dampen fra fugtigt tøj, svedlugt, hvidløgsdunst, mærkede de hver især kun duften af hinanden. Toget susede ud af centrum, og hver gang det standsede for at sætte passagerer af, blev der mere plads omkring dem. De flyttede sig dog ikke væk fra hinanden, men greb begge om metalstangen, som var fastgjort til gulv og loft i midten af vognen, dristede sig til at se hurtigt på hinanden, kiggede genert ned igen. Toget nærmede sig endestationen, kun ganske få kom ind i forhold til, hvor mange der stod af, næsten alle pladser var ledige, og stadig stod de på samme sted og indåndede hinanden. Folk var begyndt at betragte dem. Ingen af dem var stået af det sted, som de oprindeligt havde tænkt sig. Begge tænkte: Hvis jeg står af, ses vi aldrig igen. Hun ventede på, at han skulle sige noget, syntes det var mest naturligt, at han som mand tog initiativet, men han ventede på den anden side på et tegn fra hende om, at det var i orden at tage dette skridt. Han var ikke helt sikker på, hvorvidt de gamle forskrifter, om hvordan kvinder og mænd skulle opføre sig, stadig gjaldt. Muligvis var hun en af de kvinder, som valgte at tage initiativet, som selv ville bestemme, om der kunne blive tale om et bekendtskab. Naturligvis kunne han gøre et forsøg, det vidste han, at han kunne, og han var netop i gang med at tænke over fremgangsmåden, hvilke ord han skulle bruge, han syntes, det var vigtigt at komme med nogle guldkorn efter den lange tavshed, da hun gav ham et tegn. Så op i hans øjne og smilede. Toget holdt et øjeblik og ventede ved endestationen, kørte så den samme vej tilbage. Hver gang det standsede, begyndte der så småt at komme folk ind i vognen igen, nu for at komme ind og nyde aftenlivet i centrum, unge og gamle, indfødte og tilflyttere, hvide, sorte, gule. De stod stadig på det samme sted og så nu fast på hinanden. Sagde ikke et ord, det ville have været som at afbryde en symbolsk ceremoni. De blev presset sammen af menneskemængden igen, og de nød at føle varmen fra hinanden. Undersøgte nøje hvert et træk i den andens ansigt. Da toget igen nåede det sted, hvor de var stået på, tog han initiativet. Med et fast greb om hendes skuldre tog han hende med sig ud af vognen. Ledte hende op fra undergrunden, nu var de ikke langt fra floden, og trak hende med sig, småløb, til de var kommet ned til flodbredden. Lysene, som var blevet tændt i byen og spejlede sig i floden, mindede om et oplyst paradis. De satte farten ned, gik roligt hånd i hånd, smilede begge i smug, til sidst standsede han, vendte sig mod hende uden at slippe hendes hånd og sagde: Jeg vil bortføre dig, tage dig med til det hvide land i nord, hvor solen skinner om natten, skjule dig i min hule i de tavse fjelde og nyde dig alene. Hun sagde: Jeg gør ikke modstand.

3

Der er kommet nye lejere i fyrretræerne.

De betaler lejen med sang og kvidren, som gør husejerne lykkelige, lader dem blive i den tro, at der er evig sommer forude. Finnur får øje på dem, da han går op mod huset.

Han vil gå lige hen til hoveddøren, men da han hører kvidren, stopper han op og kigger op i træet. Der er ikke noget, der vækker så megen glæde hos ham som at se et drosselpar bygge rede, så ved han, at floderne snart begynder at fyldes med liv.

Der ligger en rive på plænen, en lille skovl, en spand med affald tæt ved, han antager, at redskaberne venter på deres ejermand, som har været nødt til at gå et øjeblik, men hurtigt vil komme tilbage. Han går ind i haven, spejder efter Nanna, har på fornemmelsen, at hun er der et eller andet sted, man mærker stærkt hendes tilstedeværelse, selvom hun ikke er at se nogen steder. Han går om på nordsiden af huset.

Hun står i kedeldragt og med pandebånd, begge hænder plantet på hofterne, stirrer på det ene af vinduerne. Kigger hurtigt på ham, da hun ser ham komme, siger, at hun har problemer med stæren, den har sammenflikket en rede foran Gudrun Sennas vindue. En samling af vintergamle strå, sølvpapirstrimler, beskidte, sammenkrøllede plasticstumper, men al denne usmagelighed er ikke det, der i sig selv plager hende, men derimod lopperne, som fuglen bærer med sig, ikke sådan at forstå at hun har noget imod fugle, hun har sympati for alle, der forsøger at skaffe sig tag over hovedet, men hun har været nødt til at fjerne reden på grund af utøjet, hun gjorde det i går, fejede den ned i græsset med et kosteskaft, men i ly af natten har fuglen gjort kort proces og fået bakset hele reden på plads igen på sålbænken.

Hun kigger rasende på reden. Han gør hende selskab og tilkaster den også et vredt blik.

De tænker hurtigt, og det lykkes dem ved en fælles kraftanstrengelse at få hæsligheden ned og over i en skraldesæk, som de binder knude på. Fuglen, hvis rede det var, følger fornærmet med fra naboens have.

De vasker grundigt hænder bagefter, de gyser begge ved tanken om bakterier og lopper. Så endelig, da de er færdige med at vaske hænder, kan Finnur trække cd'en med Elgar op af lommen. Som han havde forventet, gør han Nanna glad. Hun lyser op, hver gang han har musik med til hende fra udlandet, han nyder at se hendes glæde, og han bliver en uundværlig del af hendes liv, manden, som bringer finkulturen hjem til hende.

Denne gang drikker de rødvin på verandaen, mens de lytter til serenaderne. Det milde vejr trækker dem udenfor, og tonerne, som strømmer ud gennem den åbne dør og vinduerne, er behagelige for ørerne. Det er sådan de plejer at lytte til musik sammen, de nipper til lidt rødvin, dog aldrig mere end et glas eller to, og er tavse de første tyve minutter, mens de lærer værket at kende og vurderer fremførelsen af det. Mens musikken strømmer i deres årer, betragter de det travle ægtepar i fyrretræet, det uafbrudte bygningsarbejde. Kan dog ikke lade være med at tænke på hjemmet bag ved huset, som de for kort tid siden lagde i ruiner.

Når der er gået et bestemt stykke tid, ser Finnur på Nanna og kommer med den første betragtning om værket, melankolske minder om barndommens uskyldige drømme, siger han, og Nanna holder med ham, en poetisk længsel efter det forgangne, mumler hun som i trance. Da hele værket er slut, udveksler de holdninger om fremførelsen. Nanna synes, fløjten er bemærkelsesværdig god, men Finnur hælder til violinen, den har haft overtaget. Men det har han sagt så tit om violiner, det er, som om en violinist har rørt hans strenge i årene inden, han har nævnt det så ofte, at Nanna er begyndt at tvivle på, om hans kendskab til musik er så godt, som han gerne vil give det udseende af, måske ikke så godt som hendes, hun tilkaster ham et hastigt blik.

Han aflæser hendes ansigtsudtryk, ved, at han er gået for langt med violinen, så han tilføjer i hast nogle positive ord om oboerne, deres toner, og er så heldig at komme i tanke om en historie om en tjekkisk oboist, som han kan lade følge med, og som hænger fuldstændig naturligt sammen med den vurdering af værkets opførelse, som de er i gang med. Nanna smiler bare mat, så han gætter på, at hun synes, de har udtømt de musikvidenskabelige kilder for denne gang.

Hun virker fjern, synes han. Så han drikker det sidste af sin vin, viser hende med sin gestik, at han er på vej af sted, spørger hende, som venner gør, hvad hun kæmper med for tiden, det vil sige ud over bøvlet med stæren.

Så sukker hun, tydeligvis lettet over at få lov til at udtrykke sig om emner, hun beskæftiger sig med for tiden, det er, som om det har redet hende som en mare, hun sukker og siger, at hun lige er begyndt på en bog om myrer, som hun virkelig gerne vil oversætte. Det er en fremragende bog på fransk af en amerikansk entomolog, næsten trehundrede sider i stort format, som Gylfi har købt til hende i udlandet, men fejlen ved den er, at billederne i bogen, som alle er forstørret tusinde gange, forvandler sig til gruopvækkende drømme om natten. Sidste nat vågnede hun to gange på grund af mareridt, myrerne var blevet på størrelse med dinosaurer, modbydelige som de var, trampede i store flokke gennem landet, i hele dyreriget kan man ikke finde en mere organiseret hær, de kunne underlægge sig verden, hvis de havde lyst, og hun, hun selv, havde været på størrelse med en myre.

Du havde ikke læst historier om rumvæsner eller set katastrofefilm, inden du gik i seng? spørger Finnur, men hun siger, at det havde hun ikke, hun havde bladret i bogen tidligere på dagen og tænkt på noget helt andet om aftenen, hovedsagelig havde hun kigget på madopskrifter, desserter og den slags. Han spørger, om hun ikke bare kan lægge et stykke hvidt papir over billederne, mens hun læser teksten, og det mener hun godt kan lade sig gøre.

De tier og betragter den flyvende trafik omkring fyrretræerne, mens de spekulerer over problemet. Der er ingen myrer her i landet, fastslår han til sidst og ser spørgende på hende.

Hun svarer drævende, som videnskabsmænd gør, der ved en masse, men som ikke afslører noget, før det er blevet bekræftet gennem undersøgelser, nej, men man har faktisk fundet en art, som trives i kloakrør, man har også fundet noget lignende i drivhuse og også i en varm kilde i det sydvestlige hjørne af landet, men ellers findes myrer ikke i naturen her i landet, sandsynligvis fordi der er så lidt nåleskov. De er kommet til landet for mange år siden og burde godt kunne overleve her, hvad vejrliget angår, men har måske ikke været på det rette sted på det rette tidspunkt. Så har hun også hørt om en art, som er blevet bragt hertil af turister og kun lever i ét hus, hun ved ikke, om det er lykkedes at udrydde den. Men faktisk er det bare et spørgsmål om, hvornår myrerne tager landet her i besiddelse. Grunden til, at det går dem lige så godt som mennesker, er, at de har så let ved at kommunikere indbyrdes.

Hun holder brat inde, da hun har afsluttet sin korte oplysende tale om myrernes landvindinger, og spørger så, hvad han selv arbejder med i disse dage. Tal, svarer han, tal og atter tal, som enten ikke stemmer eller er forsvundet, det er som at lede efter et sandskorn i en myretue.

Han besværer ikke folk med at holde forelæsninger om økonomi og bogholderi, de har ingen interesse i den slags, medmindre det drejer sig om tal på deres egen bankkonto, han holder inde, som om der ikke er mere at sige om dén sag. Men hun ser forstående på ham, en anelse tankefuld, siger så, som om hun kender til sagen, at hun levende kunne forestille sig, at han ville være nødt til at bruge en zoomlinse.

Den klare og rene morgenluft stimulerer Ingdís og indgyder hende mod. Hun går af sted med sikre skridt og en værdig attitude, hun strækker halsen frem, lader den friske brise strømme ned i halsen, mærker, hvordan den rene luft løber ud i hendes årer, fejer de sidste rester af den søvnløse nat bort. Nervøsiteten, som slog rødder i hendes tanker for mange år siden, voksede blot ved tanken om at skulle møde et bestemt sted klokken otte om morgenen og tale sin sag. Hun vil tage Gylfi på sengen, mens han sidder og læser avis og er udsovet, tilfreds, uforberedt på dagens krav.

Hun svæver knejsende ind gennem hotellets svingdør, ser Dúi i receptionen, smiler til ham, da han ser op. Ser til sin forundring, at han får et frygtsomt udtryk i ansigtet, da han får øje på hende, han ser nærmest oprørt ud, synes hun, træder hurtigt et skridt til venstre, så til højre, siger bare: Hvad?

Man skulle tro, han havde set et spøgelse, og måske er det ikke helt forkert, hun forstår hans forundring, det er ualmindeligt, at hun kommer ind på hotellet og især klokken otte om morgenen, men hun synes dog, at hans reaktion er lige lovlig voldsom. Hun siger, at hun bare gerne vil veksle et hurtigt ord med Gylfi, får samtidig øje på ham ovre i hjørnet, ser, at Dúi er lettet, da han hører hendes ærinde. Men lige da hun skal til at gå over i hjørnet, er det, som om han kommer til sig selv igen, han slår desperat ud med hænderne, maser sig ud bag receptionsskranken og ind foran hende for at stoppe hende, siger forfjamsket, at man aldrig må forstyrre Gylfi, når han læser computer, ville have sagt avis, men snubler over ordene, så hektisk bliver han. Hun vender sig hurtigt om imod ham, prikker ham i brystet med en finger, spørger køligt, om han har sovet dårligt.

Gylfi ser roligt op, da han får øje på hendes sort- og hvidternede frakke, der er ikke meget, som synes at komme bag på denne mand, han smiler en anelse, gør tegn til hende om at sætte sig og spørger, om hun vil have kaffe. Idet hun skal til at indlede sin tale, klør han sig under næsetippen med en finger, den samme uvane, som hans far praktiserede, når han vidste, at han var blevet grebet i noget. Et øjeblik sidder ordene fast i halsen på hende. Hun stirrer på Gylfi, ser ham i et andet lys. Men det humoristiske glimt i hans øjne skubber de ubehagelige minder væk, og hun siger, med et dybt suk, at han ligner sin far, Hjálmar ligner mere hende, men de har den samme hage og kæbe.

Hvor er Hjálmar? spørger han så for ikke at behøve at ytre sig om, hvad der går i arv, og hun siger, at det har hun ingen idé om, i sin seng har han i hvert fald ikke været, og det er netop på grund af ham, at hun er kommet herhen, det er på tide, at han begynder at bo alene, det er direkte deprimerende for en mand i hans alder at bo sammen med sin mor, det er dårligt for selvtilliden og har en skidt indflydelse på hans kunstneriske talent. Om han mon er i stand til at løse det problem, måske i form af et lån til at købe en lejlighed?

Han virker ikke overrasket, det er næsten, som om han har regnet med, at hun ville komme en skønne dag for at bede ham om hjælp. Han siger, at han er enig med hende, tiden er inde til, at Hjálmar begynder at stå på egne ben, men hvor har hun tænkt sig at købe en lejlighed, hvor vil hun helst flytte hen?

Hun tror først, at han laver sjov, men ser, at han mener det alvorligt og siger så med betydelig arrogance i stemmen, at meningen ikke er, at hun flytter ud, men at sønnen gør det. Hun vil fortsætte, har rigeligt at sige i den sag, men ser så, at en udlænding, som står tæt ved dem, gør mine til at ville tage et billede af dem. Hun smiler automatisk, som hun altid gør, når nogen retter et kamera mod hende, ser ud af øjenkrogen, at Gylfi også smiler lidt, så trykker manden på udløseren, og et øjeblik glemmer de begge, hvor de er nået til i deres samtale. Hun begynder at spekulere på, hvorfor manden har taget et billede af dem, ser på Gylfi, som om han kender svaret, men så siger han, jeg skal nok undersøge det med lånet.

Sagen synes at være klaret for hans vedkommende, så hun rejser sig op og siger farvel, selvom hun synes, det var en noget brat slutning på en vigtig samtale. Ser ikke på udlændingen, da hun går hen til døren, siger kort farvel til Dúi, presser unødigt hårdt på svingdøren, da hun går ud. Forbitrelsen koger i hende, at sådan en knægt forestiller sig, at hun, selveste moderen, skulle forlade sit eget hjem, var det ikke ungerne, som skulle flyve fra reden?

Dúi er lettet, da han ser Ingdís forsvinde ud ad døren, ringer op på værelset og siger til Hjálmar, at faren er drevet over, hans mor er gået.

Vandet er lysende hvidt i solen.

Samtidig med at Finnurs arme roligt og taktfast deler det, sønderdeler han det sidste døgns hændelser, analyserer dem, tolker og konkluderer. Når han svømmer, tænker han logisk. Det sker ofte, at han ikke kommer frem til nogen konklusion, før han er færdig i saunaen. Nogle gange ikke før han står under bruseren.

Han har altid den samme praksis, når han går i svømmehallen, starter altid med den opvarmede jacuzzi, sidder der i præcis ti minutter, gennemgår i tankerne hvilke problemer, han skal behandle under selve svømningen, går så over til bassinet, hvor han svømmer crawl i tredive minutter, nogle gange længere hvis han fortaber sig. Han afslutter den fysiske træning i saunaen, hvor han sidder i fem til femten minutter, alt efter om han falder i snak med nogle bekendte eller ej. Ofte møder han sine nevøer, de tager af og til en tur i jacuzzien ved middagstid, hvis vejret er til det. De er dog ikke svømmere som han, og når de en sjælden gang orker det, svømmer de brystsvømning langsomt og forsigtigt som fine damer, der vil undgå, at deres hår bliver vådt.

I dag er der to problemer, Dúis opførsel og Gylfis økonomi. Ingen af dem stemmer. Søstersønnen har været fjern de seneste dage, fåmælt og ulig sig selv på alle måder. Har ikke gidet lave mad, han har selv måttet bikse noget sammen. Men han brød sig ikke om at konfrontere knægten. Alle havde deres dårlige dage. Måske var nogen kommet med en sårende bemærkning om hans boligproblemer, om at han var nødt til at leje et værelse hos sin morbror, eller om at han i hans alder ikke engang havde en bil, det kunne meget vel være, hvad vidste man? Alligevel syntes han, at det var, som om der var noget andet, der plagede knægten. Hvad det var, kunne han ikke sætte fingeren på. Han blev sikkert nødt til bare at se tiden an og være tålmodig, selvom det ofte var ubehageligt at have fåmælte mennesker omkring sig. Med tiden skulle det nok blive bedre. Men hvis den dårlige stemning ikke fortog sig de næste dage, ville han naturligvis tage en snak med drengen.

Så var der brorsønnens økonomi. Overførslerne i bogholderiet, som ikke stemte med bankkontoerne. Han kunne ikke tage sig sammen til at nævne det for Gylfi, ville lige undersøge det lidt bedre først, give sig mere tid til at trevle tallene op. Mærkeligt, at han ikke kunne finde ud af det, han, som var vant til at finde nålen i høstakken. Han burde kunne gøre det bedre, sværere var det jo ikke, han måtte gøre det bedre.

Han havde svømmet længere, end han havde tænkt sig, dampbadet ventede, måske hans logiske sans ville fungere bedre dér. Han ved, at sådan bliver det ikke, da han åbner døren ind til dampbadet og ser sine nevøer sidde der. De læner sig frem, røde i ansigterne efter at have siddet i jacuzzien, afslappede at se på, siger, at dér kommer han, elitesvømmeren, manden, som de har siddet og talt om, om han ikke ville et smut med dem ud på landet i weekenden og tage en omgang med fiskestangen?

Forventningen lyser ud af deres ansigter, som om det ikke længere er et spørgsmål, men en beslutning, og i en brøkdel af et sekund glemmer han sine problemer, da han hører fiskeriet nævnt, begynder at tænke på fluer.

De sidder alle i den samme stilling, stirrer ned på deres tæer og drøfter fluer og fluebinding, og tankerne er allerede ude i den kolde, hvidblå flod. Dampen stiger op inde i badet, trænger ud under bænkene, som de sidder på, og da det er begyndt at blive rigtig varmt under dem, spørger Gylfi, om de synes, at han skal give denne hersens fotograf lov til at tage med, han skal lave en form for serie om forretningsmænd og deres fritid og arbejde. Nej, bjæffer de andre, irriterede over et så tåbeligt forslag, og rejser sig op. De går på række efter hinanden ind i bruserummet, Gylfi er den højeste, Hjálmar den kraftigste, Finnur den slankeste.

Det er varmt i forhold til årstiden.

Især på verandaen, hvor der er læ for nordenvinden. Nanna sveder i sin kedeldragt, er nødt til at smøge ærmerne op og knappe de øverste knapper op, men arbejdet skrider godt fremad, hun begynder at lege med tanken om at kunne male det lave læhegn, når hun er færdig med det høje.

Hun er nødt til at udnytte det tørre vejr til at male træet, hun kan tage bedene senere, dem kan man godt luge, selvom det regner lidt. Hun studerer himlen for at se, om der er noget mistænkeligt på spil, drivende tætte skyer, der strejfer om i det fjerne, og som senere vil trække ind og føle sig hjemme her, og uforudsigelige uindbudte gæster, som altid ødelægger solens fest, men hun ser hverken tætte skyer eller små totter af skyer, bestemmer sig derfor til at have høje ambitioner.

Hun er ved at hente mere maling i garagen, da Dúi kommer gående hen ad fortovet med Olli i en lille trækvogn. De er ude at promenere i det gode vejr.

Dúi siger, at han havde fået den idé, at han kunne kigge forbi hende til en kop kaffe, ikke at der skulle være noget til, hun skulle ikke have besvær med det, han ville bare lige kigge ind og give Olli lov til at tulle rundt i haven et par minutter, det holdt han så meget af.

Selvom Olli synes, det er behageligt at sidde i vognen, bliver han altid lige ivrig, når han ved, at han bliver sluppet løs i en stor have, han logrer henrykt med halen, da han ser Nanna. Hun tager ham op og kæler for ham, siger, at han er så nuttet, så lille og hvid og lodden, og Dúi kan ikke skjule sin tilfredshed over hendes beundring for Olli, Nanna er en af de få, som får lov at tumle med ham.

Dúi glæder sig til at være lidt sammen med hende. Det er hyggeligt at sidde på verandaen og få noget at drikke. Han ved, at de først vil tale om mad, udveksle idéer, så vil hun tale lidt om planter og insekter, han om design og turister, og så vil snakken falde på folks opførsel, hvem der er sammen, forviklinger, og så vil han kunne lette sit hjerte, uden at hun opdager, at sagen drejer sig specifikt om ham.

Olli humper glad rundt i haven, når han går på græsset, er hans halten ikke nær så tydelig, og han afskyr asfalt, vil helst ikke gå på den, og han tisser på den californiske gedeblad og ribsbusken og kradser jorden op med bagbenene, kan ikke bruge forbenene til at grave med uden at miste balancen, får så øje på en løbebille og springer ind i hækken.

Nanna ser tankefuldt på ham, det falder hende ind, at hun kunne bruge Olli til at opsnuse hvepseboer, hun er begyndt at få mistanke om, at bæsterne har indrettet sig i nogle huller ved træernes rødder. Et eller andet sted gemmer de sig. Hun taler dog ikke med Dúi om den mulighed, han er sikkert mere interesseret i det traktement, som hun har budt ham på, nybagte franske croissanter, han fatter ikke, hvordan i alverden hun gør det, hvordan hun får dem så flotte. Så hun begynder at forklare fremgangsmåden for ham og er længe om det, men det tog også i alt tre dage at bage dem, og næsten automatisk falder snakken på nogle små vandbakkelser, som hun engang har bagt til dessert til ham og Finnur, dem med karamelsovsen, dengang havde hun serveret muslinger med kryddersmør til forret og and med grønne peberkorn til hovedret, Dúi huskede menuen nøjagtigt, og så siger Nanna, at hun egentlig synes, det er bedre at servere marinerede svampe til forret, når hun laver and, men det er naturligvis en smagssag, på det tidspunkt havde hun bare haft så mange muslinger, som Gylfi var kommet hjem med, og som hun havde villet bruge.

De er sprunget ud i emnet fiskesupper, diskussionen ligger i naturlig forlængelse af muslingerne, da de ser Olli springe op ad to børn henne ved hækken. De genkender Hjálmars børn. Ingdís kommer slentrende bag dem. Hun vinker til dem, siger, at hun havde mærket duften af kaffe på lang afstand. Dúi stønner, vinker slapt tilbage.

Nanna har en formodning om, at hun ikke får ret meget mere arbejde fra hånden den dag, men hun er praktisk anlagt, og for trods alt at opnå et eller andet resultat giver hun børnene hver sin pensel, tilbyder dem, at de kan få lov at male det lave læhegn. Børn rynker aldrig på næsen af at få lov at stå med en pensel. Og for at række dem en hjælpende hånd viser hun dem indimellem, hvordan det er bedst at gøre, og på den måde kan hun arbejde videre, selvom der er kommet gæster til kaffe.

De synes at være fuldstændig ligeglade med, om hun sidder sammen med dem eller går rundt på terrassen, mens hun taler med dem. Ingdís er nødt til at fortælle sin lidelseshistorie til dem, hovedsageligt til Dúi, han skal høre, hvor uheldigt dagen har udviklet sig for hende, hun, som havde været så syg, har været nødt til at tvinge sig selv ud af sengen, fordi forældrene ikke havde tid til at passe deres egne børn, Hjálmar var bare styrtet af sted til filmoptagelser, og moren, som efterhånden kunne levere stof nok til en hel roman, hvis man skulle kigge på dén side af sagen, havde plantet børnene hos hende og sagt, at det var farens tur til at have dem i weekenden, og hun kunne ikke bytte, hun skulle til polterabend hos en veninde, hvad var der egentlig galt med de kvinder, hvorfor skulle de hele tiden til tøsefester? Børnene lytter, men lader, som om de ikke hører noget.

Dúi mumler og svarer bekræftende, så hun så hurtigt som muligt bliver færdig med at tale, han ser på børnene. De maler omhyggeligt, er stolte af den opgave, de har fået, Dúi spekulerer på, hvad de mon med tiden skal blive til. De er begge tynde, de er skudt hurtigt i vejret, drengen, som er den yngste, har en lang hals, han bliver sikkert højere end sin far.

Størrelsen er vigtig, siger Dúi til Ingdís, da hun til sidst bliver tavs. Børn kigger på store og stærke mænd, søger tryghed hos dem og adlyder dem. Senere bliver drengene selv store og stærke, men ikke kvinderne. Det er én af grundene til patriarkatet. I de varme lande, hvor mænd ofte er mindre end dem, der bor i nord, holder de alligevel fast i magten på grund af en århundredelang tradition, og kvinderne er også meget mindre dér, slutter han og ser på Nanna.

De er mindre, fordi de er nødt til at holde sig så meget inden døre på grund af solen og husligt arbejde, siger Nanna. De ved, at hun har ret og strækker halsen mod solen.

Naboerne har sat noget popmusik på anlægget. Kvarteret emmer af forventning, nogle solstråler og sytten graders varme er nok til, at man tager tøjet af, genvinder troen på livet, lufter fritidstøj på tørresnoren, trækker shorts på børnene, sætter sommerblomster i krukker, al mulig forskellig musik driver ud over træer og buske, der høres højlydt tale fra baghaver, latterudbrud fra altaner, på en af dem er nogle begyndt at grille og klinke med glassene. Starter dagen tidligt.

Stemningen inspirerer til ægte sommergøremål, flere får den idé at benytte sig af det exceptionelt smukke vejr og bruge dagen, som om den med ret stor sandsynlighed aldrig kommer igen, forkæle sig selv med mad og drikke på solterrassen, købe noget lækkert til grillen, måske smutte en tur forbi vinmonopolet på vejen.

Da de ser Nannas tøvende udtryk, skynder de sig at understrege, at hun ikke behøver at stå for noget som helst, de skal nok sørge for hele molevitten, hun skal bare sætte sig ned og spise sammen med dem. Nanna, som hellere ville have haft folk til middag, når hun var færdig med at sætte solterrassen i stand, giver efter, idet hun husker sig selv på, hvor nærige vejrguderne kan være med gode dage.

Hun påtager sig at underholde børnene, og ud over at lære dem hvordan man maler et læhegn, viser hun dem et spindelvæv gennem en lup, graver lidt i jorden for dem, så de kan se efter regnorme, fortæller dem historier om myrer i udlandet, som kan æde hele huse op, hvis de bestemmer sig for det, puster et stort soppebassin op og fylder det med vand, hvor de kan lade små skibe sejle rundt, putter kiks og tørret frugt i en plasticpose til dem, så de har noget at gumle på, mens de venter på maden. Olli, som følger dem overalt, bliver jævnligt fordret med rosiner.

Imens synger det i potter og pander inde i huset, kokkene snegler sig af sted som velopdragne myrer mellem køkkenet og solterrassen med et hvidvinsglas i den ene hånd og i den anden enten salat eller saucer, salsa eller frugt, tallerkener eller grilltænger, og på vejen nynner de reggaemelodier med fluer svirrende om hovedet.

De træder for alvor i karakter, når det gælder madlavningen, Dúi, som er ekspert i indisk madlavning, og Ingdís, som har årelang erfaring med det danske køkken, maden forsvinder lynhurtigt fra den ternede dug, og børnenes ansigter lyser af tilfredshed, selvom deres farmor er blevet beruset.

Ingdís har for vane at tage ordet, hvis hun kan se sit snit til det, og til dette eftermiddagsselskab, som holdes på hendes initiativ, afholder hun sig heller ikke fra det. De nordiske guder træder lyslevende frem i hendes fortællinger, hun er så velbevandret i emnet, at hun kan finde paralleller til guderne i nulevende personligheder, og de morer sig med at sammenligne sig selv og andre med forskellige aser og vaner. Børnene ler lystigt, og Dúi gør deres glæde endnu større ved at lave en milkshake til dem med jordbær og vaniljeis. Men da deres bedstemor er blevet usædvanlig højrøstet og hæs, det plejer hun at blive på et bestemt tidspunkt, hvor hun også begynder at tale om noget helt andet og forbander alle kunstnere undtagen sin søn, begynder de at blive pirrelige og trætte.

Nanna finder det bedst at begynde at rydde af bordet for

at lade gæsterne vide, at denne dejlige eftermiddag er ved at være forbi. Men det foruroliger hende, da hun ser, hvor meget Ingdís vakler, da hun rejser sig fra bordet, og hun foreslår derfor, at Ingdís tager alene hjem og hviler sig, børnene kan blive hos hende. De kan sove i gæsteværelset og se fjernsyn i sengen. Forslaget bliver godt modtaget af både Ingdís og børnene. Nanna har på den anden side fuld tillid til, at Dúi kan tage sig af hunden og vinker glad til ham og Ingdís, da de går ned ad gaden med Olli i trækvognen.

Han betragter hende, som hun ligger der på alle fire foran bedet. Hun synes at være hensunken i tanker, folk tager ofte deres sjæl med på en lang rejse, når de luger ukrudt. Han vil kalde på hende, men stopper sig selv, sniger sig hen over græsset som et rovdyr i jagthumør, tager kun få skridt ad gangen, er nået helt hen til hende, uden at hun opdager ham. Et øjeblik står han bag hende, overvejer om han skal bøje sig ned og hurtigt gribe fat med begge hænder om hendes hofter, gøre hende forskrækket, har dog mere lyst til at stryge ned over dem, roligt og fast, strækker hænderne frem, mærker en begyndende erektion, bliver ivrig, men tænker for længe, hun rejser sig pludselig op. Men står for tæt på ham, han er nødt til at gribe fat om hende, så hun ikke vælter omkuld. Hun bliver dødforskrækket, udstøder en lyd, han er nødt til virkelig at tage sig sammen for at slippe hende.

Hun vender sig om, han griner fjollet. Nej, er det dig, Hjálmar? siger hun og er tydeligvis lettet. Går ud fra, at han laver sjov.

Han roser hendes have, den er så smuk og velholdt, ser på verandaen og taber mælet, det er fuldstændig som i udlandet, så farverigt og sommerligt, hynder og hængestole, duge, frugter, man får bare lyst til mad og rødvin, når man ser den slags.

Nanna smiler fornøjet over hans reaktion og siger, at nu er der ikke lang tid til, at han kan få sådan et traktement på verandaen, hun har tænkt sig at holde en lille grillfest i weekenden for Senna, inden hun drager ud på landet for at arbejde, det har hun lovet hende, og du kommer og din mor, ja, og tag endelig børnene med, de synes, det er så sjovt at lege med Olli i haven og være sammen med voksne.

Han siger, at han gerne vil komme, og takker hende så for, at hun lod børnene overnatte forleden, de syntes, det var rigtig sjovt, har hans mor sagt.

Og de står over for hinanden og har ikke mere at sige, og det virker, som om Nanna har glemt samtalens kunst, hun fingererer bare ved sine havehandsker, og han tager ikke øjnene fra hende, men så er det, som om hun kommer til sig selv, spørger, om han har været ude at løbe, han er klædt sådan?

Så kommer han i tanke om sit ærinde, han ville komme forbi hos hende, inden han skulle løbe, han har nemlig en billet til en sidste forestilling, han vil meget gerne have, at hun kommer. Åh, siger hun og har tydeligvis ikke fulgt med i teaterlivet gennem medierne, og han bliver en anelse fornærmet, der har stået ikke så lidt om ham i aviserne på grund af denne forestilling.

Jeg har været så optaget i haven, siger hun undskyldende, fornemmer hans følelser og spørger så, om hun ikke må byde ham på et glas juice på solterrassen. Han vil gerne drikke bare ét glas, inden han skal ud at løbe. Mens hun er inde, studerer han interesseret stolene og bordene, blomsterne, dugene, den blomstrede hængestol, han har før set disse ting hos hende, men for første gang foresvæver det ham, at han befinder sig i en kulisse.

Han sidder og gynger i hængestolen, da hun kommer tilbage. Siger drillende, at han har det, som om han er i udlandet i den atmosfære, hun har skabt på verandaen, om hun måske ikke inderst inde længes efter at bo i syden.

Jo, siger hun og trækker på det, jo, det sker indimellem, at hun har lyst til at bo i udlandet, hun har gode minder derfra. Hun synes, det er så morsomt at bo i multietniske samfund, hvor folk kommer alle vegne fra. Det kunne også have været sjovt at gå på markederne i de mindre byer og købe ind til middag eller bare gå i alle de små butikker, vente i køen og lytte til de andre, småsnakke med købmændene, ikke engang behøve at have en familie for at kunne tage del i samfundet, bare som individ var man en del af det.

Han ser på hende og tier, hun har sat ord på hans tanker, og det kommer lidt bag på ham. Han har inderlig lyst til at fortælle hende, hvad han så ofte tænker på, ved, at hun er det eneste menneske, som ville forstå ham, men tøver, fordi han frygter, at hun vil plapre ud med det til Gylfi, og det bryder han sig ikke om.

Han stirrer på hendes ben, mens han forsøger at gøre op med sig selv, om han skal afsløre sit følelsesliv, men der går kludder i hans tanker, pludselig begynder han at spekulere på, hvordan det mon er at gå i seng med hende, og det er, som om hun fornemmer, i hvilken retning hans tanker går, hun bøjer sig hurtigt ned og folder sine bukseben ned, som hun tidligere har smøget op. Så begynder hun at tale om vejret, at det tegner godt for sommeren, og hun er i gang med dybsindige grublerier over forskellen mellem vejrliget i de forskellige landsdele, da han afbryder og resolut siger: Jeg har lyst til at flytte væk.

Hun tier, tager en dygtig slurk af juicen, siger så, som en filosof, der har overvejet alle sider af sagen og til sidst har fundet frem til den bedste synsvinkel, at det forstår hun godt, men hvordan vil han bære sig ad med at bo alene og have børnene i weekenderne, når han ofte selv arbejder på det tidspunkt?

Dér siger du noget, min kære frue, sukker han til sidst og bruger en replik fra et teaterstykke. Hun har øjensynligt misforstået ham eller ladet, som om hun har, har lagt sin egen betydning i ordet "væk". Han rejser sig op, jogger rask på stedet for at få liv i benene, siger, at det er på tide at komme ud at løbe. Men tænker ved sig selv, at hvor er det dog typisk kvinder altid at blande børnene ind i alle ens planer.

4

Vinmonopolet myldrer af fredagsliv.

Unge mænd på vej ud på landet for at drikke sig fulde, uden at nogen blander sig i det, fylder kurvene med lagerøl, pigerne sværmer omkring de sommerlige vine, ældre kvinder køber lidt af hvert, så man tror, at de venter gæster i alle aldre, mens vinkyndige mænd står som limet fast foran de franske hylder med kvalitetsvin.

Ingdís får ikke øje på Finnur med det samme, hun står bøjet over papvinene, fordybet i at sammenligne priser og mængde, er ikke sikker på, om de afrikanske er et bedre køb end de amerikanske, men da hun kigger op og ser ham interesseret læse etiketten på en fransk flaske, er hans evigt snobbede attitude det første, der falder hende ind. Nu er det eneste, der gælder, fransk Château-et-eller-andet, hvor én flaske koster det samme som flere liter papvin. Som man siden bare bæller i sig ude på verandaen.

Hun prøver på ikke at gøre sig bemærket, som hun står der ved hylden med papvine, vender ryggen til ham, så han ikke så let får øje på hende. Men Finnur har let ved at genkende folk, selv på afstand, en enkelt lille bevægelse er nok for ham. Og mens hun står og kigger på etiketterne og regner på, hvor mange flasker der går på tre liter, hører hun bag sig én, der hilser på hende.

Hun tager brillerne af og lader, som om hun er frygtelig overrasket over at støde på ham hér. Han har tre flasker Château i sin kurv, men nedværdiger sig alligevel til at gøre hende opmærksom på en bestemt papvin, som er ganske hæderlig, Dúi køber den tit, når han virkelig er i madlavningshumør. Hun siger, at hun nu bare har tænkt at tage den med til grillaftenen i morgen, det er så sommerligt at have kold hvidvin i en smuk kande på bordet, og han er rørende enig med hende, siger, at han også har købt vin til at tage med sig til festen.

De er begge helt sikre på, at det bliver en fantastisk fest hos Nanna, hun har så god smag, og hvor er hun dog en fabelagtig god kok! Helt utroligt hvad hun kan fremtrylle af retter af for eksempel grøntsager.

De stiller sig op i køen hver med deres vintype, og han spørger høfligt, hvad hun beskæftiger sig med for øjeblikket. Hun fortæller ham, at hun er ved at gennemgå ansøgninger, men også er ved at skrive en bog om religion, er stadig primært i gang med kildematerialet, og vil fortsætte med at tale om det, men det med vinen sidder i hende, hun er ikke tilfreds med, at han på en eller anden måde har fået overtaget i den sag, som om han tror, at han tilhører en anden og højere samfundsklasse end hende. Han burde nu vide bedre, ærlig talt, som om han ikke udmærket ved, at hun kommer fra en slægt af embedsmænd, selvom det faldt i hendes lod at tage sig af hans skørtejæger af en bror.

Hun vender sig om, ser elskværdigt på ham, kigger så hurtigt ned i hans kurv og spørger, om han er sikker på, at hans lille nevø kan lide den vin, han køber. Finnur bliver rådvild, løfter kurven med vinen lidt op, vil til at sige noget om købet, men hun kommer ham i forkøbet og siger, at det bare lige faldt hende ind, nu da Dúi er så meget yngre end ham, og unge mennesker er ikke begejstrede for den vin, som gamle mennesker køber.

Finnur bliver så befippet, at han ikke kan få et ord frem. De siger ikke mere, mens de står i køen. Hun betaler for sin vare, han besvarer køligt hendes afskedshilsen, da hun vinker til ham.

Humlebierne er gået fra forstanden.

Rådvilde og uregerlige støder de brutalt ind i sommerfuglene, når de dykker ned i sommerblomsterne på solterrassen. De vil være med i festen og enten med det gode eller det onde.

De to kander på bordet, den ene med juice, den anden med iskold hvidvin, udøver en magisk tiltrækning på dem, fluerne kredser lydløst rundt for ikke at blive viftet væk, er mere taktfulde end humlebierne, og mellem brædderne i stakittet ser edderkopperne tiden an, lader som om de sover, og de har heller ikke travlt, deres tid skal nok komme, og det ved de.

Men Olli holder et vågent øje med dem, han har rollen som opsynsmand, når det gælder småkravl. Herren i huset har tildelt ham den særlige ære, at han må sidde hos ham, mens han griller, og Olli synes, at det mindste han kan gøre til gengæld er at holde småkravlet væk fra maden. Han knurrer, hvis en humlebi nærmer sig, kigger så op på Gylfi for at tjekke, om han har lagt mærke til, hvor årvågen han er. Gylfi klapper ham nu og da, klør ham bag øret, siger så-så og holder øje med fodboldkampen, som foregår på plænen i hans have, råber opmuntrende ord til børnene, lad nu ikke de gamle fjolser narre jer, sådan ja, gi' dem så. Finnur og Hjálmar forsvarer sig ivrigt, svedige med opknappede skjorter og opsmøgede ærmer, er nødt til at hvile sig indimellem og tage en slurk af deres øl, som de har stillet fra sig ved buskene, hvor en ny flueart holder aftenmøde om tingenes tilstand.

Olli vover sig ikke ud på plænen, så længe kampen er i gang, men har heller ikke begivet sig ind i køkkenet, selvom mange lækre ting kan være faldet ned fra bordene derinde. Nannas fødder bevæger sig for hurtigt i forhold til ham, og Ingdís går efter hans mening farligt tungt. De går rundt imellem hinanden med pander og knive, åbner køleskabet og lukker det igen, sætter forskellige ting ind i det eller tager ting ud, bruger alle borde til at lægge grøntsager og frugt på i Caravaggio-farver, den ferske, hvide fisk og det lyserøde kød, og skubber Dúi og Senna væk med hofterne, hvis de uforvarende læner sig op ad de borde, som de skal hen til.

Dúi er ved at spå Sennas fremtid i en kaffekop, og de er så fordybede i hendes begivenhedsrige fremtid, som træder frem i de lange og korte striber af kaffe, som sidder på indersiden af det hvide porcelæn, at de fuldstændig glemmer opgaven, som de selv udtrykkeligt havde ønsket at påtage sig, nemlig at dække og pynte bordet ude på solterrassen.

Gylfi står udenfor med grilltængerne, parat til at modtage ordrer fra køkkenet, afventer det øjeblik, hvor Nanna kommer ud med hummeren på et hvidt fad og nikker, hvilket betyder, at nu må han gå i gang. Grillen er for længst blevet varm.

Men mesterkokken kan sit fag, har for vane at lade folk vente på maden og ikke maden på folket, og derfor har spåmændene dækket bordet og fodboldholdet tørret sveden af panden, inden Gylfi får hummerfadet i hænderne.

Solen er stærk på den nordlige halvkugle, når skyerne ikke samler sig omkring den, men parasollen, som de sidder under, sørger for at begrænse de brændende stråler, så varmen ved bordet er tålelig. De drikker hurtigt, mens hvidvinen er kold, og bliver glade, slikker sig om munden, hvor er hummer dog en delikatesse, men børnene prøver ikke engang at tvinge den ned, så dårligt synes de, den smager, de guffer bare brød med kryddersmør i sig, gnaver i en enkelt tigerreje sat på pind. Er dog på ingen måde utilfredse, har deres far imellem sig, som er glad og munter, fortæller historier fra teatrene og er som altid selskabets midtpunkt.

Så er det, som om Nanna vågner op og begynder at snakke, hvilket hun oftest gør, når hun har sikret sig, at maden er vellykket, hun ser på Gylfi og siger, vi er nødt til at tage et billede af det her, og går ind for at hente kameraet. Hun tager ofte billeder af folk, som sidder til bords.

I det øjeblik, hvor hun vil trykke på udløseren, ser hun noget bevæge sig ovre ved roserne.

Hun får øje på ham først. Sænker kameraet og står dødstille, som om hun selv er på et billede. Gylfi tror, at hun har set en hveps, ser i samme retning med et træt udtryk.

Én efter én ser de op og kigger på manden i haven.

Han står dér, mørk i huden, smiler til folkene ved bordet, det skinner i de hvide tænder.

Gylfi ser hurtigt over på Nanna, venter på, at hun gør noget i anledning af gæstens ankomst, men kommer så i tanke om, at det var ham selv, som inviterede ham, hun har aldrig set manden før, så han rejser sig op, byder udlændingen velkommen, gør tegn til ham om at komme nærmere, siger til dem på terrassen, at de skal hente en stol til ham, det her er fotografen fra Paris, han har inviteret ham til at komme, hvis han havde tid, han taler engelsk, og Gylfi spørger Nanna, om der ikke er mere tilbage af hummeren, beder Senna om at løbe ind og hente en tallerken og et glas til ham, siger, at han ikke har fået fortalt manden det rette mødetidspunkt, derfor kommer han så sent, ser så på manden og peger på stolen og siger: Tag plads.

Når en ny gæst pludselig slutter sig til selskabet, kan folk ikke længere huske, hvad de talte om, inden han kom. De tier, forsøger at smile, kigger høfligt på hans gyldne hud. Finnur ser insisterende på sin nevø, skal den idiot ikke præsentere manden for folk, det er dog helt utroligt, hvor distræt og magelig Gylfi kan være, siger tørt, du mangler at præsentere manden.

Det giver et sæt i Gylfi, som sad og tænkte på, hvor længe kødet skulle grilles, han undskylder, og ja, Aloked Achmad Maurice Hamand, undskyld, det er et forfærdelig langt navn, men udlændingen smiler muntert og siger, jo, det er et meget langt navn, han taler engelsk med fransk accent, det lægger de mærke til.

Aha, siger alle de andre og bøjer forstående hovedet.

Gylfi præsenterer dem for ham én ad gangen, Finnur, min farbror og revisor dernede for enden, Dúi, hans nevø, receptionist på hotellet, Hjálmar, min halvbror, skuespiller, og hans børn, Athena og Elías, og dét er Ingdís, Hjálmars mor, ja, hun sidder i alle mulige nævn, og her er så Nanna og Senna. Han glemmer at nævne sit slægtskab med dem, som om det er indlysende for manden, og får heller ikke nævnt deres position i samfundet.

De giver ham alle hånden. Vi er alle beslægtede ligesom de fleste andre her i landet, vi er ikke så stort et folk, hvis du boede her, ville du sikkert være vores fætter, siger Gylfi.

Og han er fotograf? spørger Ingdís elskværdigt, men sender manden et underligt blik, hun forsøger at placere ham. Hun synes, at hun har set ham før, men er ikke sikker, hun er ikke god til at huske folks ansigter, hvis de er mørke i huden. Gylfi taler på mandens vegne, siger, at han arbejder for et tidsskrift, skal være i landet i tre måneder eller deromkring for at tage billeder af land og folk, helst folk i færd med deres arbejde, skal lave sådan en fotobog om det, hvis han husker ret.

Dúi sætter tallerken og glas foran manden, Nanna rækker fadet med hummeren frem, der er nogle ganske få haler tilbage. Gæsten ser beskedent ned, som om han ved, at det er en respekteret måde at opføre sig på, når man kommer ind i en gruppe af mennesker, som har stærke indbyrdes bånd, men Nanna siger værsgo, taler engelsk, selvom hun er bedre til fransk, siger, at hun beklager, men det er det eneste, der er tilbage af forretten, men hun er ved at forberede hovedretten, det bliver grillet lam, og han smiler taknemmeligt til hende. Han er tvunget til at spise alene, mens de andre ser tavse på ham. De har glemt det tidligere samtaleemne, kan ikke engang som nødløsning komme på at tale om vejret.

Men så bliver det Ingdís, der redder stemningen, hun er vant til at deltage i selskaber og receptioner, hvor man har korte samtaler med så mange som muligt på kortest mulig tid, og hun siger på omhyggeligt udtalt engelsk, ja, og du er fra Paris, har du arbejdet for det tidsskrift længe?

Jo, han kom fra Paris, hvor han arbejdede for et ugeblad, som specialiserede sig i at holde øje med kendisserne inden for politik og kunst, interviewe dem og tage billeder, det var et vederhæftigt og populært blad. Han havde arbejdet der i otte år og havde trængt til lidt forandring, havde fået den idé at fotografere folk i et andet land, især erhvervsfolk inden for forretningslivet og kunstverdenen, vise i billeder, hvad andre nationer foretog sig, og valget var faldet på deres land. Han havde kolleger inden for faget, som havde været her og fotograferet naturen både forfra og bagfra, havde udgivet hele bøger om selve landet, men ikke beskæftiget sig så meget med folket. Men han var mere interesseret i folket, der boede i de forskellige lande. Dog blev han nødt til at indrømme, at han godt forstod sine kolleger, efter at han selv havde rejst rundt i landet, han var blevet fuldstændig bjergtaget af vidderne og farverne. Men som sagt, han havde planer om at være her frem til efteråret, det vil sige, hvis det var økonomisk muligt, han havde fået presset sig til tre måneders fri, men fik kun løn i én, han havde brugt af sine sparepenge for at kunne gennemføre opgaven. For at få fri havde det været et krav, at han skulle publicere nogle af billederne i bladet, og så ville han i sin fritid gerne lave en bog om folket i landet, det vil sige, hvis han fik nogen fritid.

Svarene bliver godt modtaget af de tilstedeværende, Finnur hæver anerkendende øjenbrynene, da han nævner det med opsparingen. Ingdís spørger ham hurtigt, om han ikke har en familie at sørge for, om han ikke har nogen børn?

Han siger, at det har han ikke, og han ser ud til oprigtigt at beklage dette, men så tilføjer han, at han bor sammen med sin mor, bror og bedstemor. Da de ikke har nogen kommentarer til dette, men blot venter i håb om, at han fortæller mere om sine familieforhold og det sted, han kommer fra, så de kan afgøre, hvilket samfundslag han tilhører, og hvad hans position er i samfundet, tilføjer han, at hans bedstemor sikkert vil savne ham rigtig meget i de her tre måneder, han har altid fulgt med hende, når hun skulle til lægen, og ligeledes når hun ville handle hos grønthandleren eller bare ville gå en tur ud for at se på gadelivet.

Bemærkningen om bedstemoren falder i god jord hos familien. Samtalerne foregår på engelsk, af høflighed over for udlændingen, lige indtil en eller anden uforvarende kommer til at nævne teatrene, så slår de ligesom automatisk over i modersmålet. Udlændingen bliver isoleret.

Herren og fruen i huset forbereder hovedretten, Gylfi går hen til grillen, Nanna tager forretstallerkenerne af bordet, udlændingen ser på Senna, som om han anser det for hendes pligt at sørge for det, men Senna er fordybet i en samtale med Dúi og holder ikke øje med, hvordan traktementet skrider frem. Så springer han op og begynder at hjælpe husmoren. Hun smiler lidt til ham, hun har ikke sagt ret meget, siden han kom. Han går efter hende ind i huset med de beskidte tallerkener, kigger ind i stuen på de dyre møbler, hans blik fæstner sig på flygelet, siger, I har et meget smukt hjem, og hun takker ham, fortæller ham, hvor han kan stille tallerkenerne og taler engelsk med en fin accent. Hun er særdeles høflig, men konverserer ham ikke yderligere, så han går udenfor igen.

Finnur skænker rødvin i glassene, inden lammekødet kommer på bordet, siger, at det her er fransk kvalitetsvin, og de må endelig nyde den. Bøjer hovedet let og ser med et glimt i øjet på pariseren, som siger, at han godt kender denne vin, den drikkes af veluddannede og velhavende folk i Paris.

Ingdís sætter med ét en hovmodig mine op, siger til børnene, at de skal tørre sig om munden. Fotografen fra Paris takker alligevel nej til vinen, siger, at han ikke drikker alkohol, så Gylfi hælder perlende danskvand op til ham og sig selv. Fotografen spørger muntert, men som om det egentlig ikke spiller nogen rolle, om han heller ikke drikker rødvin. Ikke i aften, siger Gylfi og begynder at spise.

De ser hastigt på hinanden, han og Finnur.

Den kølige aftenbrise holder sig stadig ude over havet, men den vil snige sig ind over verandaen ligesom dværgmisplen, når solen synker på himlen, men det er de færreste, der vil mærke dens åndedræt omkring benene, når rusen har sendt tankerne på flugt. Nanna vil tænde gaslamperne, det ved Finnur, selvom hun er fåmælt og en anelse distræt, ikke helt nærværende, men han ved, at hun altid reagerer på forholdene i rette tid. Selvom ingen regner med, at hun gør det. Det samme kan man ikke sige om hans nevø, som sidder over for ham ved den anden ende af bordet, han kender ikke til vigtigheden af detaljerne, hvad angår omgangen mellem mennesker, deres velbefindende, følelser, har aldrig forstået, at det netop er dem, detaljerne, som i sidste ende styrer menneskets skæbne. Han lader andre om at fokusere på detaljerne, kender ikke den diskrete taktfuldheds kraft. Som han og Nanna gør. Finnur ville hellere have siddet alene til bords med hende, de ville have tiet sammen, måske lyttet til kantater, mens de nippede til den gode vin. Alligevel kan han godt lide at sidde sammen med familien enkelte gange, han er taknemmelig for at have den at kunne søge støtte hos. Hjálmar synes godt om vinen, han skyller den rask ned, det ligner ham ikke, han er ellers ikke meget for vin, han foretrækker at hælde øl i sig, måske har udlændingen med den lange næse gjort ham usikker, der har han fået en værdig konkurrent, hvad angår mandighed. Det gamle handyr giver dog ikke op, er nødt til at have overtaget, vise sin overlegenhed, selvom der ikke er nogen hundyr i jagtområdet. Eller hvad? Den fremmede er unægtelig en flot og maskulin mand, selvom han er af en ubestemmelig race. Finnur ser på de tre kvinder, udelukker hurtigt den ældste og den yngste, men hvad med Nanna? Kan det tænkes, at hun har rørt en følsom kunstnerstreng i Hjálmar? Og hvad med hende? Nærer hun kærlige følelser for sin svoger? Han iagttager deres bevægelser ud af øjenkrogen, er så optaget af sine observationer, at han fuldstændig glemmer den plan, som han faktisk havde lagt, inden han tog til grillaftenen, at han ville give Ingdís igen for hendes uhøflighed mod ham i vinmonopolet, han ville være kommet bagfra, have svømmet stille og roligt hen til hende, og derefter hurtigt dykke hendes hoved ned under vandet.

Ingdís ville så måske have holdt sig på måtten resten af aftenen.

Men nu er der ingen forhindringer, banen ligger grøn og smuk for hendes fødder, det er ikke svært at sparke bolden ind i det tomme mål. Hun går stille og roligt solo med bolden, spørger og er blevet hæs, om de ikke skal skåle for lille Senna, som altid er så dygtig i skolen, er det ikke rigtigt, søde Senna, er du ikke stadig en lille dygtig pige?

Dúi sukker for sig selv over Ingdís' undertrykte jalousi, som han er blevet godt og grundig træt af, og som han på alle måder finder ubegrundet, den er begyndt at blive karakteristisk for hende. Gylfi fornemmer hånen i hendes stemme, den synes ikke at komme bag på ham, siger højt, at det er rigtigt, Gudrun Senna er altid kommet hjem med de højeste karakterer, og han hæver sit glas, ser sin datter dybt i øjnene, siger, at han er enormt stolt af hende, og hver gang han tænker på, at hun med tiden skal overtage hotellerne, bliver han både glad og taknemmelig.

Med det enkle faktum in mente, at der kun kan være tale om én arving, burde høvdingens erklæring ikke komme bag på de tilstedeværende, men alligevel er det, som om en tåge trækker ind fra øst og lægger sig over selskabet, de ser ned i deres tallerkener, fumler klodset med bestikket.

De lægger dog næsten alle sammen mærke til fotografens forundring. Sproget er ham ganske vist fremmed, men da Gylfi skåler for pigen, giver han med sin gestik utvetydigt udtryk for, at hun har en høj status ved bordet. Fotografen skæver skiftevis til Nanna og Gylfi, han ser ud som en skoledreng, der ikke kan få sit regnestykke til at gå op.

Han har måske troet, at hun var tjenestepige, tænker Finnur.

Det er Olli, som viser dem vejen ud i den klare luft igen, han lægger forpoterne op på sin herres lår og gør, så man lige akkurat kan høre det, men alligevel tilstrækkelig bestemt til, at Dúi forstår, at han ikke er en uindbudt gæst, men et fuldgyldigt medlem af selskabet, som ikke i mindre grad end andre sætter pris på at få noget at spise. Han får et lille kødben denne gang og bliver desuden kælet for, han bliver så glad, at de ler højt.

Børnene har fået nok af at sidde ned, de vil gerne rejse sig fra bordet og lege med Olli og alle insekterne i Nannas eventyrhave, hvilket de uden videre får lov til, og samtidig bæres der mere vin ud i flasker og karafler.

De fleste synes, at det nu er på tide at tage sig af fotografen, han har været lidt udenfor, synes de, Hjálmar spørger, hvad han skal fotografere som det næste. Fotografen siger, at han vil tage billeder af Gylfi både i fritiden og på arbejde, i hans naturlige omgivelser, og da han siger naturlige, gestikulerer han med åben hånd i retning mod Gylfi. Kigger så på Dúi, Finnur og Hjálmar, stadig med åben hånd og giver med en lille bevægelse udtryk for, at han også gerne vil fotografere dem. Han kigger ikke på kvinderne. Men mændene forstår godt, hvad han mener, nikker samtykkende, de synes, det er et naturligt arrangement.

Ingdís ser hurtigt over på Nanna, sætter sit glas så hårdt ned på bordet, at vinen skvulper over. Nanna ved, hvad hun tænker, hun tænker selv det samme, men hendes reaktion er en anden end Ingdís', hun smiler anstrengt, siger så med dæmpet stemme, at det er blevet tid til desserten, og forsvinder ind i huset.

Der bliver livlig samtale, da mændene skal blive enige om, hvem der først skal fotograferes, hvilke omgivelser der passer bedst til den enkelte, måske kunne man også forestille sig, at de alle sammen var med på nogle af billederne, men det er først og fremmest Gylfi, som han vil fokusere på, siger fotografen og spørger ydmygt Gylfi, hvornår han tror, at han har tid tilovers.

Gylfi trækker på det, spørger, om de billeder, han har taget på kontoret og på hotellerne, ikke rækker, men fotografen siger ivrigt, at det er meget vigtigt at fotografere ham ude i naturen også, for eksempel når han er på laksefiskeri, han har set billedet af ham med laksen, som står på hans kontor, om det ikke er en mulighed og i så fald hvornår? Gylfi er meget længe om at svare, siger så, at han vil undersøge sagen, han kan begynde med de andre imens. Til sidst bliver de andre enige om, at skuespilleren skal være den første, han er mest vant til at blive fotograferet, og de tager nogle store slurke af deres vin.

Men fotografen skulle ikke have ignoreret kvinderne, især ikke Ingdís, der er ikke megen tolerance at hente, hvis folk føler sig overset. Kampen er altså kun lige begyndt, Ingdís er kommet ind i straffesparksfeltet, og der er ingen, der forsvarer målet.

Hun lægger hovedet på siden, skiftevis til højre og venstre, i et godt stykke tid, som om hun fryder sig, benytter sig af chancen, mens folk synker deres mad, siger højt og drævende til fotografen, at hun simpelthen bare ikke kan finde ud af, hvor han er fra, om hans forældre er afrikanere eller arabere, medmindre de er begge dele, fransk er han i hvert fald ikke, eller hvor kommer du egentlig fra, min ven?

De får alle sammen et underligt udtryk i ansigtet, Hjálmar rynker brynene, siger lavt, mor, slap af. Fotografen virker på den anden side, som om det morer ham, siger, at det ikke er underligt, at hun ikke præcist kan finde ud af hans oprindelse, han kommer i virkeligheden alle vegne fra, fra alle verdenshjørner.

Vil du være lidt mere præcis, siger Ingdís og smiler mildt.

Han siger, at hans mor voksede op i Algier, hendes far var derfra, mens hendes mor var af fransk og polsk afstamning. Hans farfar drog fra Marokko til Algier, hvor han giftede sig med hans farmor, som var fra Asien, og en af hans oldemødre på fædrene side kom vist fra Somalia, en oldemor på mødrene side fra Rusland, og han er i gang med at fortælle, hvor hans oldefar på mødrene side kom fra, da Ingdís synes, at det kan være nok, afbryder ham og siger, så går jeg ud fra, at du er muslim ligesom din far?

Fotografen bliver helt forfjamsket, men hvordan skulle han også vide, at kvinden her er særligt interesseret i religion, han siger, halvvejs stammer, at han mener, at tro er den enkeltes private sag.

Jaså, mener du det? siger Ingdís og smiler stadig, men dit navn er helt utrolig langt, det må stamme fra alle verdensdele, måske fra himmelrummet også, skal vi ikke bare forkorte det, det er bedre for drengene, forstår du, når du skal fotografere dem, hvad siger du til, at vi bare kalder dig Loke, en forkortelse af Aloke, eller hvad det nu var, hvad siger I andre til det? Synes I ikke, det er et godt navn? Loke?

5

Det var noget i fotografens øjne, som fik Hjálmar til at tale, om det nu var øjenfarven eller glimtet i hans øjne, ved jeg ikke, Hjálmar nævnte det ikke, han sagde bare, da fotografen var gået, og jeg var færdig med at sminke ham, at det måtte have været noget i udlændingens blik, som fik ham til at tale om ting, som han egentlig for længst havde glemt og aldrig havde tænkt sig at tale om.

Vi har nu kendt hinanden, siden vi var drenge, Hjálmar og jeg, og selvfølgelig taler vi meget sammen, mens jeg sminker ham, det manglede da bare, især når sminkningen er tidskrævende og kompliceret, som den var i dette tilfælde. Jeg tror, at Hjálmar har ret, der var noget i denne udenlandske fotografs blik og attitude, som bevirkede, at man følte sig tvunget til at være ærlig. Jeg var kun lige begyndt, var ved at lægge grundmakeuppen, og fotografen går rundt om os, forsøgte sikkert at finde den rette vinkel, og så spørger han Hjálmar, om han har været i Paris. Og Hjálmar siger, at det har han, han har været der tre gange, første gang da han var atten år. Og så fortæller han os om, hvordan han har siddet i flyet med de værste tømmermænd, på vej til Paris for at besøge sin bror, som han kun havde kendt i to år. Og han havde været så spændt på at møde sin elegante bror i udlandet, men alligevel også lidt nervøs over at skulle være sammen med ham og hans kæreste i mange dage, de var noget ældre end han. Derfor havde han drukket sig fuld sammen med drengene aftenen inden, han skulle med flyet, havde haft mistanke om, at han ikke ville kunne drikke noget i udlandet og ville tage revanche for det inden.

Så var han kommet ind i deres køkken dér i det store udland, i et gammelt hus i en smal gyde, fortalte bare mig om det, droppede nogle gange at tale engelsk, om hvor blødt stoffet i hendes kjole havde været, det vil sige Gylfis kæreste. Sagde, at han havde haft rigtig meget lyst til at røre ved det, lige strække hånden ud og stryge hen over det, men han havde ikke gjort det, havde bare stirret ned i sin tallerken og haft svært ved at løfte gaflen. Kjolen havde siddet tæt omkring hendes runde hofter, men løst omkring knæene, kælet med dem, når hun bevægede sig frem og tilbage i det lille køkken, han syntes, han havde kunnet mærke, at der kom en duft fra hende, når hun stod tæt på ham, han blev helt ør i hovedet.

Nå, og de havde planlagt, hvad Gylfi kunne vise ham, mens han boede hos dem, de havde lagt et helt program for ham, da telefonen ringede og ændrede alle planer. Gylfi blev helt uventet inviteret til en eller anden by for at kigge på et hotel og en restaurant, som han vist længe havde haft planer om at se på, og hun havde stået der i sin bløde kjole med en grydeske i hånden, havde været tavs længe, mens hun så på Gylfi, havde så sagt, at han skulle tage af sted, hun skulle nok tage sig af drengen.

Hun havde taget ham med i teatret om aftenen, Comédie Française, det ældste og mest berømte teater i Paris, mange balkoner og overdådige udsmykninger, hun havde fået nogle uafhentede billetter, og han havde ikke forstået et ord af, hvad der foregik på scenen. Hun havde sagt, at det gjorde ikke noget, han kunne se deres mimik og gestik, og så ville det være morsomt for ham senere at kunne fortælle, at han havde været i netop dét teater. Han havde ikke kedet sig i teatret, selvom han ikke forstod et ord af, hvad skuespillerne sagde, han havde naturligvis ofte været med sin mor i teatret, da han var lille. Men samtidig med at han havde siddet der ved siden af sin svigerinde, mens duften af hende fyldte hans hoved, var der sket noget. Han havde pludselig haft lyst til at gå op på scenen, havde tænkt, at han ville kunne gøre det bedre end alle dem, der stod deroppe. Sagde, at det sandsynligvis var den aften, at længslen efter at være skuespiller var vågnet i ham. Det må også være derfor, at han, da han vendte hjem efter denne rejse, begyndte at strenge sig an i skolen, blev ambitiøs, sagde han, drak mindre, han var nu vist også begyndt at blive temmelig fordrukken trods sin unge alder, jeg kan også forstå, at hans far var kommet ud i et alkoholmisbrug, nå, men han ville i hvert fald på skuespillerskole, hvilket også lykkedes ham, og siden har han sandelig da haft noget af en karriere, altid gode hovedroller, både på teatret og på film.

Men aftenen i Paris var ikke helt slut endnu.

Inden de gik hjem efter forestillingen, inviterede hun ham på et lille glas vin på en udendørs café over for teatret. Det var om foråret, der var liv og glade dage omkring dem, lysene fra lygterne og vinduerne rundt omkring var så maleriske i aftenmørket, fyldte ham med glæde og længsel efter at kunne leve evigt, men om det var vinen eller de unge piger ved nabobordet, der skabte den uro inden i ham, havde han ingen anelse om. Han var så ung, var endnu ikke bevidst om de drifter, der styrer mennesket. Hun talte om teaterstykket hele tiden, han lyttede betaget.

Nå, men altså, han fortalte kun mig om det, så var de taget hjem, og hun havde redt op til ham inde på et lille kammer, som lå i forbindelse med stuen. Natten sænkede sig over huset, men hans kød brændte, og det endte med, at søvnen ikke kunne overvinde hans tanker. Han sneg sig hen til hendes værelse, døren stod lidt på klem, han kunne se, at hun lå og sov alene i dobbeltsengen, en lille lampe var stadig tændt, måske er hun mørkeræd, tænkte han og gik ind og hen til sengen. Han stod et øjeblik og betragtede hendes bare ben, og følelserne fik magten over hans fornuft. Han lagde sig ved siden af hende i sengen. Duften af hendes krop fyldte alle hans sanser, han var fuldstændig tryllebundet, hans hånd adlød ikke, men strakte sig ud efter hendes ben og strøg hen over det, så let, at de små usynlige hår rejste sig mod hans håndflade, som var den en magnet.

Så var fotografen færdig med at tage billeder af ham, nogle uden makeup og andre med, og spørger, hvordan hans forhold er til broren, om de står hinanden nær, og hvilken type mand Gylfi er. Hjálmar spekulerede lidt, sagde så, at der ikke var ondt skabt i Gylfi. Han må da have nogle svagheder ligesom os andre, sagde fotografen så og smilede lidt, men så sagde Hjálmar, at det kendte han ikke noget til. Så tav han, og jeg fik ikke rigtig mere ud af ham, efter at fotografen var gået. Han sagde bare, der var noget i den fyrs blik.

Først tog han billeder af ham, mens han var ved at vælge tøj, derefter inde på systuen hos mig, mens jeg var ved at tage mål af ham, bukserne skulle lægges ind i livet, han er så smal om hofterne, ham Finnur. Men han nævnte straks, hvor flot en figur han havde, den udenlandske fotograf, listede det ligesom ind i samtalen, sagde, at det kunne jo være en interessant opgave for mig at sy tøj til sådan en mand. Han sagde det nu bare sådan lidt for sjov, men Finnur havde ret, udlændingen var særdeles velbygget, proportionerne var fandens gode, og jeg så, at Finnur i den forstand var begejstret for ham, han er naturligvis selv gammel svømmer og har en god kropsbygning, alt tøj sidder godt på ham. Men lad nu det ligge, Finnur har handlet hos mig i mange år, så jeg kender ham udmærket, og vi snakker altid sammen, når han kommer, men derinde på systuen, mens den her velbyggede fotograf ufortrødent knipsede løs, blev han usædvanlig snakkesalig.

Fotografen spurgte, om han dyrkede nogen former for sport, han så så veltrænet ud, om han havde været revisor længe, om han arbejdede for hele familien, og Finnur svarede klart og tydeligt på alt, sagde, at han faktisk kun arbejdede for Gylfi og havde gjort det, siden nevøen kom hjem fra sit studieophold. Dengang havde Gylfis mor stadig bestyret hotellerne, men drengen var lidt efter lidt begyndt at sørge for driften, indtil han overtog den helt efter hendes død.

Hvis jeg husker ret, så var det i julen, at Finnur begyndte at arbejde for Gylfi, som lige var kommet hjem med sin kone og barn, og de boede hjemme hos hans mor, havde endnu ikke købt det hus, som de bor i nu, og Gylfi inviterede Finnur til at komme og spise første juledag. Finnur glædede sig ikke til det juleselskab, sagde han, de havde nu aldrig stået hinanden nær, han og hans svigerinde, og hans halvbror havde også været en uforbederlig skørtejæger, og derfor ville hun helst have så lidt som muligt at gøre med den slægt. Men Finnur tog af sted og sagde, at det havde været et af de underligste juleselskaber, han havde været med til i hele sit liv.

Gylfi var inde i billardværelset, da han kom, hans kone og barn var ude i køkkenet, og moren, Finnurs svigerinde, var ingen steder at se. Nå, og de var så bare begyndt at spille billard sammen. Den unge frue, Gylfis kone, opholdt sig konstant i køkkenet for at forberede det røgede lammekød, og så havde Gylfi sagt til ham, at hans mor hvilede sig i weekenderne og til højtider, ved de lejligheder lå hun bare i sengen. Jeg kan selv huske hende, hun var naturligvis en kendt forretningskvinde, der gik historier om, hvor kløgtig og kompetent hun var, men hun havde efter al sandsynlighed slidt sig selv op med arbejde.

Så var de gået til bords i spisestuen og havde bare været tre og så barnet, men Gylfis mor var ikke dukket op. Den unge frue havde ikke sagt ret meget, hun var hovedsageligt optaget af at made barnet, og det havde været et virkelig tavst middagsselskab. De var så ved at spise desserten, da Gylfi spurgte, om han ville påtage sig at være revisor for alle hotellerne. Finnur sagde, at han ikke havde været glad for det tilbud, selvom han vidste, at hans fremtid var sikret, hvis han tog imod det, han brød sig ikke om atmosfæren i familien, men han havde sagt til Gylfi, at han ville tænke over det. Så havde han ikke kunnet dy sig og havde spurgt til, om hans mor ikke skulle have noget at spise. Gylfi havde svaret, at hun aldrig havde nogen appetit, men hans kone, hun havde set ham i øjnene med et fast blik og derefter sagt, hun bryder sig ikke om barnet.

Han havde aldrig oplevet noget lignende, sagde Finnur. Da han så havde gjort sig klar til at gå, havde fået nok af familien og bare gerne ville hjem så hurtigt som muligt, vejene var også ved at fyge til, spurgte Gylfis kone, om hun måtte køre med, hun ville kigge forbi sin veninde, som var alvorligt syg og lå på hospitalet. De tog af sted, men havde kun kørt et kort stykke vej, da bilen kørte fast i sneen. Finnur sagde, at han ikke havde været tryg ved situationen. Bilerne foran dem sad fast i driverne, vejret var forfærdeligt, og kvinden ved hans side var tavs og fjern. Så tænder han for radioen. De havde knap nok lyttet til den i mere end nogle sekunder, før hun siger, nu kommer klaveret ind, vent, det kommer, og så hørte man tonerne fra klaveret. Efter et øjeblik så hun på Finnur og sagde: Brahms' første klaverkoncert, det er det af hans værker, som jeg holder allermest af.

Finnur kunne først ikke få et ord frem, han havde ikke ventet, at en ung kvinde vidste så meget om klassisk musik, og så tilføjede hun, at da koncerten var blevet opført for anden gang, det var i Leipzig i januar i attenhundrede og nioghalvtreds, jeg mener at kunne huske, at han har sagt, at det var det, hun sagde, havde den fået dårlige anmeldelser, det havde været et af Brahms' største nederlag. Man havde ofte undret sig over det, og nogle hævdede, at det måske havde været dirigentens skyld, eller at publikum ikke havde været modne nok til værket. Koncerten havde fået fine omtaler, da man uropførte den i Hannover fem dage tidligere, men det var også med en anden dirigent, Brahms' ven. Og Brahms havde siddet ved klaveret begge gange, dengang seksogtyve år gammel. Jeg går ofte til koncerter, så det var interessant for mig at høre dette om Brahms. Og hans mor var vist sytten år ældre end hans far. Nå, Finnur fik klemt frem, at han faktisk altid havde haft mere forkærlighed for klaverkoncert nummer to, den var måske mere avanceret. I fygesne og mørke talte de om Brahms' klaverkoncerter, den første og den anden, og tiden fløj hen over klaviaturet.

Så spurgte fotografen, om han var glad for at arbejde sammen med Gylfi, hvad han var for en type, og så sagde Finnur kort for hovedet, at Gylfi var et godt menneske. Mere kunne man ikke få ud af ham denne gang, han sagde, at han skulle skynde sig, jeg nåede kun lige akkurat at sætte ombukningen på bukserne fast. Han gik uden at sige farvel, og det ligner ham ikke.

Han var som en flue omkring os, mens jeg masserede Dúi. Jeg spurgte, om han ikke ville vente med at tage billeder, til jeg var færdig med at massere manden, så han kunne få et billede af ham, hvor han sad op, men det ville udlændingen ikke. Og Dúi virkede fuldstændig ligeglad med, om han blev fotograferet halvnøgen og liggende, han var bare helt afslappet, men han har også gået til massage hos mig i mange år, eller siden han var involveret i trafikuheldet og kom til skade med skulderen. Den er nu blevet god igen, men han er blevet vant til massagen og har det bedre, når jeg har arbejdet hans krop igennem. Dúi kommenterede på, hvor bløde bevægelser han havde, fotografen, og det kunne jeg kun være enig med ham i. Manden havde kattens smidighed og styrke, han ville aldrig få behov for massage, det kunne jeg ikke forestille mig, og det undgik ikke min opmærksomhed, hvor grundigt Dúi iagttog ham, jeg var nødt til at skubbe hans hoved ned på briksen den ene gang efter den anden, mens jeg masserede hans nakkemuskler.

Fotografen spurgte Dúi, om han havde arbejdet længe på hotellet, og Dúi sagde, han havde været der i mange år, og så fortsatte den udenlandske fotograf og spurgte, hvordan bossen var, og Dúi sagde, at han godt kunne lide sin chef, for han fik jo også lov til at have Olli med sig på arbejde, og lo højt. Det er hans hund, den ligger altid på hans slåbrok, mens jeg masserer ham. Ja, og at ham Gylfi var en fin fyr, der var ikke noget at udsætte på ham. Dúi er nevø til Gylfis farbror, tror jeg, ja, det er indviklet med de familierelationer. Men i øvrigt var han ikke startet hos Gylfi, men hos hans kone. Og det var ikke begyndt godt, og så gik han i gang med at fortælle os om det.

Det begyndte vist alt sammen med masser af druk og en ordentlig omgang fest og ballade. De var ude på landet, Dúi og nogle andre drenge, på en festival eller noget lignende, bookede sig så ind på et værelse på et lille hotel tæt derved. Eller rettere sagt, Dúi og en anden fyr fik værelset og fyldte det så op med venner og bekendte, efterhånden som natten skred frem, de drak sig fuldstændig fra sans og samling, hvis jeg har forstået det ret. Men nok om det, så lister fyrene af hen ad morgenen, og Dúi går ned i receptionen som en fin herre og vil tjekke ud. Kvinden i receptionen er høflig og sådan, det var altså Gylfis kone. Dúi sagde, at han ikke før senere havde fattet, at kvinden var hans fætters kone, han spekulerede ikke over familierelationer i den alder, men så siger kvinden, at hun gerne vil have, at han går med hende op på værelset, hun vil gerne tjekke det, mens han er til stede. Dúi skulle lige til at begynde at diskutere med hende, men opgav, hun var ligesom ikke én, man diskuterede med, syntes han, så han gik med hende op. Nå, værelset lignede vist noget, der var løgn, efter drukfesten, natbordet var ridset og flere andre ting var gået i stykker, og kvinden siger, at han skal betale for ødelæggelserne og siger, at han ikke får lov at gå, før skaderne er blevet vurderet. Så han har bare siddet der i receptionen hos hende, med kæmpe tømmermænd, og ventet på en eller anden mand fra forsikringen, som hun sagde ville komme.

Der var fredeligt på hotellet, de fleste gæster var taget af sted, han sad bare der hos hende bag skranken, fik kaffe og brød og snakkede med hendes datter, en lille pige, som var der sammen med hende. Han var begyndt at lægge puslespil med hende. Forstod ikke, hvad han havde gang i, forstod ikke, hvorfor han ikke bare stak af. Så sagde han, at han var faldet i søvn dér i stolen, med åben mund, fuldstændig færdig efter drukfesten, og da han vågner igen, er der ikke sket nogen forandring, mor og datter går og hygger sig, ingen gæster på hotellet. Han begyndte at blive utålmodig og spurgte, om ham manden ikke snart ville dukke op, han måtte selv se at komme hjemad mod byen. Så spurgte hun ham, om han kunne tale engelsk, og jo, han sagde, at det kunne han godt, og så skete der bare ikke mere, fortsat samme tavshed og afslappede stemning, der foregik ingenting. Han var så bare begyndt at lægge puslespil igen. Så siger hun pludselig, jeg er nødt til at give barnet noget at spise og lægge det i seng bagefter, jeg vil bede dig om at tage over her imens. Bingo, han blev helt paf. Og ikke nok med det, hun viste ham, hvordan han skulle gøre, hvis nogen ringede eller kom og bad om et værelse, sagde så, at hun ventede nogle udlændinge, og hvis de kom, mens hun var borte, var der nogle bestemte værelser, som var klar til dem. Så var hun væk, han var lige blevet receptionist på et hotel. Ha, intet problem. Udlændingene kom, mens hun var væk, og han betjente dem, som om han altid havde arbejdet der. Var simpelthen begyndt at føle ansvar, sagde han.

Det var henunder aften, da hun kom tilbage og sagde, at han gerne måtte gå, nu havde han tjent skaderne ind. Han syntes, det hele var vældig underligt. Men inden han går, fortæller han hende, at udlændingene gerne vil have morgenmad ved sekstiden næste morgen, og i forlængelse heraf begynder de at tale om turister og morgenmad, hun er lige pludselig meget snakkesalig. Nå, han er så glad for omsider at have nogen at tale med, at munden ikke står stille på ham. Han kan nu være så frisk og veloplagt, ham Dúi, men hvorom alting er, så får de sig en hyggelig snak sammen, og så vil han til at sige farvel. Men da han er på vej ud ad døren, siger hun meget stilfærdigt, at han kan få arbejde på hotellet, hvis han er interesseret.

Fotografen havde overhovedet ingen interesse i denne fortælling, han fotograferede bare Dúi i én uendelighed, lå på knæ foran os og i alle mulige stillinger, man var bare glad så længe, han ikke hang og dinglede ned fra loftet, men han forsøgte at spørge Dúi ud om Gylfi, og hvis jeg husker ret, blev Dúi bare vred og sagde så, at han ikke gad snakke længere, han var ved at få massage og ville gerne nyde det i fred.

Han fik lov at fotografere Gylfi ved skrivebordet, hvor han sad med sit arbejde, tog nogle billeder af ham i konferencerummet, andre på hotelgangen, det vidste jeg, og så er jeg netop på vej ind på hans kontor med nogle kontrakter, da jeg hører fotografen spørge, om han ikke må fotografere ham i naturlige omgivelser, peger på et billede på væggen af Gylfi, der står med en laks, og spørger, om han ikke er lystfisker. Så blev Gylfi meget kort for hovedet, sagde, at det vist var nok for i dag. Da fotografen så var gået, sagde han noget i retning af, at han, fotografen, ikke skulle tro, at han gav ham lov til at komme med op til floden. Og at jeg måtte huske at sige til ham, hvis han spurgte efter ham, mens han var ude at fiske, at han var bortrejst. Ellers risikerede han bare, at han fulgte efter ham. Jeg sagde, at han kunne regne med mig, og Gylfi vidste udmærket, at han ikke behøvede at være i tvivl om dét. Jeg har ikke bare været Gylfis sekretær, siden han overtog hotellerne, jeg var også hans mors sekretær, mens hun sad ved roret. Og ved alt om floden. Jeg var til stede, da mor og søn i sin tid drøftede den.

Floden havde tilhørt den mødrene side af slægten, siden guderne må vide hvornår, Gylfi havde ikke vist den nogen synderlig interesse, hans far, derimod, kom der ofte for at fiske, mens han endnu duede til noget, han døde nu faktisk ved floden, men det er en anden historie, men nok om det, nogle udlændinge og burgøjsere havde budt på floden, og nu ville den gamle frue vide, om Gylfi var interesseret i at eje floden i fremtiden eller ej. Han var ikke sikker, og så foreslog den gamle frue, at han simpelthen tog ud på landet og undersøgte sagen, han kunne måske tage fiskestangen med og fiske lidt laks, så kunne han mærke efter, om han følte nogen tilknytning til stedet. Det gjorde han, og floden fortsatte med at være i slægtens eje. Eller rettere i hans, der er ikke længere nogen slægt bag Gylfi, alt det dér er fuldstændig dødt, tror jeg.

6

Floden bugtede sig yndefuldt mellem klipper og bakkedrag, vandet var så klart og fristende, at de blev tørstige og uvilkårligt bevægede sig forsigtigt ned til bredden.

Stod der længe og kiggede op og ned langs floden, spejdede efter et sted, hvor de kun lige behøvede at bøje sig ned for at kunne drikke af den. Senna, som var blevet tavs i Gylfis arme, så forundret på alt det vand, havde aldrig set så stort et bad før, og strakte hånden ud, sagde, at hun ville ned i det, men de tog ikke notits af hendes ønsker, de havde fået øje på en lav brink og begav sig derhen. Dér lagde de sig på maven, lod det iskolde vand glide gennem fingrene, gav Senna lov til at pjaske lidt og lærte hende så at drikke af sin hånd.

Så var det, at Nanna sagde, og sandsynligvis har det senere været afgørende for, om de skulle sælge floden eller ej, at alene på grund af vandet kan du ikke give slip på floden, tænk dig bare, hvis man pludselig stod uden vand i verden, så ejer vi alt det her. Det sagde hun i barnlig begejstring og med så stor oprigtighed, at Gylfi, som havde set temmelig alvorlig ud, ikke kunne lade være med at smile.

De bestemte sig for at slå telt op nogle meter højere oppe, i læ af en lille bakke og noget lavtvoksende buskads, som tog af for nordenvinden, og de var ved at slå pløkkerne i jorden, da Nanna fik øje på taget af en hytte lidt længere oppe ad floden. Nej, er det en fiskerhytte? sagde hun i en spørgende tone, overrasket over, at Gylfi ikke havde nævnt den, da de bestemte sig for at tage ud og undersøge floden nærmere. Ja, men den skal vi ikke være i, sagde Gylfi, den er ødelagt, rådden. Så fik han igen et alvorligt udtryk i ansigtet.

Nanna belemrede ham indtil videre ikke med flere spørgsmål om fiskerhytten, bestemte sig for at lade det vente til et bedre tidspunkt, forstod dog ikke, hvad det var, der forvoldte humørsvingningerne, Gylfi var generelt i god balance, men hun kunne ikke lade være med stirre på hytten, når han ikke så det. Senna hvinede af begejstring, mens de indrettede sig i teltet, lagde luftmadrasserne ud og tog soveposerne frem, fandt køkkengrejet frem af tasken, hun havde aldrig været på telttur før, kendte ikke naturens frihed, i storbyen havde parkerne udfyldt dens rolle.

Disen, der havde nægtet solen at trænge igennem, forsvandt nu omsider, og så blev floden livligere og løb hurtigere. Det blev varmere omkring dem, men Nanna, der havde camperet som barn, vidste, at nætterne kunne blive kolde, det kunne pludselig blive piskende regn og storm. Selvom hun var vant til vejrets nykker og pludselige indfald, så var barnet det ikke, derfor kastede hun flere gange et blik i retning af fiskerhytten.

De sad omkring den lille rejsegrill og drak rødvin, mens de i ro og mag gnavede kødet af lammekoteletterne, og Gylfi blev en anelse mere snakkesalig. Barnets glæde havde smittet ham. Hans hår var pjusket, efter at han for sjov havde været i slagsmål med en lille ulv, som boede ved floden, han havde leget både hest og bjørn, syntes at have glemt det, som plagede ham tidligere på dagen. Han var mæt og derfor mere samarbejdsvillig, så Nanna sagde, at hun ville udforske området, hun trængte til at bevæge sig lidt, han kunne blive hos pigen imens, om han havde en nøgle til den dér fiskerhytte? Efter et godt stykke tid sagde han, uden at se på hende, at hvis nøglen stadig var der, så lå den i en revne ved siden af den venstre dørkarm.

Den kratbevoksede klippe, som stak ud i floden, havde spærret for hendes udsyn, så hun havde ikke set andet end hyttens tag, men da hun var klatret over klippestenene og havde revet sig på birkebuske, havde hun frit udsyn til fiskerhytten, som lå på en øde, græsbevokset forhøjning. Askegrå og nedslidt, mindede om et forladt vejarbejderskur. Man kunne forestille sig lugten derinde blot ved at se på den. Gammelt, råddent træ, som enten var fugtigt eller knastørt, lugtede på en egen særlig måde. Hytten er helt sikkert fuld af fluer og skovmus, havde hun tænkt, inden hun åbnede døren, og derfor kom det støvgrå dødningeskær, der lå over alt, bag på hende, ikke engang insekterne havde været interesserede i at søge skjul der.

Der var to rum, i det forreste var der knager og hylder til tøj og fiskegrej, et bord til et primusapparat og noget service, i værelset, som lå længere inde bagved, var der fire køjer, i midten stod et bord under et elendigt vindue. Sengene var uredte, gråbrune af fygesand eller vulkanaske, som var trængt ind gennem det utætte vindue. Hun tænkte for sig selv, at en kulkælder må have lugtet bedre, og flygtede udenfor. Gylfis følelser i forhold til hytten var hende dog en gåde, og hun tænkte, at hun måske kunne få noget ud af ham senere.

De var kommet i soveposerne og havde Senna i en sovepose midt imellem sig, det var lunt, og de gumlede chokolade i sig, da barnet var faldet i søvn, talte om farverne i deres fremtidige hjem, om ikke de udelukkende skulle bruge lyse, og så kom Nanna i tanke om floden, sikkert på grund af den lyse farve, og spurgte, om han ikke havde tænkt sig at prøve at fiske i floden. Han sagde, at han ikke var kommet for at fiske, havde bare villet kaste et blik på floden. Der er måske ingen fisk i den? spurgte hun så, og han sagde, den er fuld af fisk. Vil du beholde den eller sælge den? spurgte hun videre, og så vendte han sig omsider mod hende, og det var gået op for ham, at han ikke havde nogen chance for at undslippe, når først hendes nysgerrighed var blevet vakt.

Han så hende dybt i øjnene, sagde så, at han havde lyst til at beholde floden, på den anden side havde han ingen gode minder om stedet. Hans far var altid kommet herud for at fiske, det var ham, som havde smækket den rædsel af et skur op, havde syntes, det var så lystfiskeragtigt at ligge i en spartansk hytte, havde ikke overvejet at bygge sådan en fiskerhytte, som han og hans mor gerne ville have haft. Da Nanna ikke forstod, hvad der havde været så slemt ved det, nogle valgte at være fri for al unødig luksus, når de var ude i naturen, og desuden var det da ikke værre at sove i en hytte end i et telt, blev han irriteret og sagde vrissent, at han og hans mor nogle gange også skulle med derud.

Så gjorde Nanna, som mødre gør, når de vil have sandheden ud af deres børn, gjorde sin stemme helt blød og varm, strøg med hånden over hans pande og hår og sagde, at hun så inderlig godt forstod, hvor svært det havde været for ham og hans mor at være sammen med den mand, som givetvis havde været fuld på sine fisketure, hun havde hørt den slags historier om ham, men hvorfor var I nødt til at tage med, du og din mor?

Altså, han lærte mig at fiske, og jeg syntes, det var sjovt, og mor lavede mad til ham og forsøgte at lappe på deres ægteskab, som var mislykket fra starten, fordi den satan var hende utro. Hun var bare så betaget af ham, var helt forblændet af ham ligesom alle andre, men så var der en gang, han var selvfølgelig fuld som sædvanlig, hvor han mod hendes vilje tog hende om natten, og jeg lå i køjen over dem og hørte hende klynke. Kunne ikke gøre noget, var bare et barn, vidste ikke, hvad det var, der foregik, forstod det knap, men forstod det alligevel, vidste, at han på en eller anden måde gjorde min mor ondt. Jeg havde lyst til at finde noget, jeg kunne slå ham i hovedet med, men jeg var bare så bange for den satan, han var så stor og stærk, og lige siden har jeg ikke kunnet tilgive mig selv for at være sådan et skvat, for at være bange, jeg burde have slået ham, jeg kunne have gjort det, det ved jeg, hvorfor gjorde jeg det ikke?

Du var bare et barn, hviskede Nanna hen over hovedet på barnet. Det ved jeg godt, hviskede han tilbage, men så om morgenen eller sent om natten, jeg ved ikke, hvilken af delene det var, det var sommer og lyst hele døgnet, ruskede hun mig let i armen og gav mig tegn til at følge med, vi satte os ud i bilen, som stod et stenkast fra hytten, og kørte bort. Så begyndte jeg igen at ryste, dødsensbange for, at han ville følge efter os. Men han kom ikke. Og han kom heller ikke næste dag eller dagen efter den. Mor lod ham bare passe sig selv. Men så sendte hun nogle af sine bekendte op til floden for at tjekke, hvordan han havde det dér i sin ensomhed. De fandt ham døddrukken og fik slæbt ham hjem. Han fik lov at sove rusen ud, men så smed mor ham også ud. Han tog over til sin elskerinde, jeg talte aldrig med ham igen efter det.

Da Gylfi havde fortalt om sin barndoms prøvelser, var det, som om en tung byrde var blevet løftet fra hans skuldre, som om han fandt ro og kunne falde i søvn, men Nanna overtog byrden, hun kunne slet ikke sove. Hun syntes, det var uretfærdigt, at sådan en elendig rønne fyldt med askegrå minder skulle stå i vejen for, at hendes datter kunne få lov til at nyde naturen ved floden i fremtiden, og hvorfor skulle nogle burgøjsere have det stykke land, som var hendes datters retmæssige ejendom?

Natten var lys, og hun sneg sig ud af teltet, tog optændingsvæsken og tændstikkerne med sig, klatrede over klipperne og gennem krattet igen, op til hytten, hvor hun udførte sit arbejde hurtigt og uden at ryste på hånden. Under bordet i det forreste værelse fandt hun brændstof i en dunk, som var blevet efterladt, hun hældte væske over de gamle, slidte dyner og puder og ud på gulvet, skyndte sig ud, smækkede den faldefærdige dør efter sig og satte ild på. Fulgte interesseret med i, hvordan flammerne bredte sig under døren.

Den røde farve tegnede sig mod himlen, det mindede hende om et maleri af en kunstner, som hun var blevet betaget af. Hun så, at hytten hurtigt ville gå op i flammer. Hun gabte, var blevet træt og søvnig. Hun luntede tilbage til teltet igen uden på noget tidspunkt at se sig tilbage.

Nå, sagde hun til Gylfi, da han vækkede hende om morgenen, i nat brændte jeg dine dårlige minder, nu kan du bygge et hus på et sted, hvor der er gode minder.

Som om hun havde nogen glæde af at rive betræk af dyner, som snesevis af folk havde sovet under, eller tørre op efter deres vandpjaskeri på badeværelset, hun, som var selve arvingen. Folk kiggede på hende som på enhver anden stuepige, hvis de ellers så på hende, selv hotelmanageren glemte indimellem, hvem hun var, behandlede hende bare ligesom alle de andre piger. Havde formentlig fået ordrer til det fra hendes forældre, behandl hende ligesom alle de andre, lad hende arbejde, hun har så godt af det, den der skal overtage driften af en række hoteller, er nødt til at starte på gulvet, ligesom hendes far gjorde, de lod ham gå ud med skraldet og gøre rent i redskabsskurene. Hvorfor lod man altid kvinderne gøre værelserne rene? Hvorfor behøvede hun at kunne gøre rent, hvis hun skulle drive hoteller i fremtiden? Var det for, at hun skulle mærke, hvordan det var at være i et lavtlønnet job, for at hun skulle få sympati for sine ansatte senere? Var det ikke bare en eller anden amerikansk kliché, en eller anden berømt hotelejer, som sagde, ja, jeg startede jo som piccolo på mit hotel, kendte derfor jobbet fra bunden. Det havde hun såmænd hørt om, men ham den amerikanske havde ikke skullet gøre rent, eller hvad? Hvordan kunne de gøre det mod hende, hendes forældre, lade hende bruge en hel sommer på at fjerne andres skidt?

Det mislykkedes nu lidt for dem med hele projektet, de skulle have tænkt sig bedre om, måske spurgt hende, hvad hun selv havde lyst til. De vidste ikke, at hun skrev. Og slet ikke at hun byggede historien på dem. Hun skrev om dem hver aften, inden hun lagde sig til at sove. Dengang de var unge og tilfældigt løb ind i hinanden. Og dengang de havde gået dér langs floden, den dag de mødte hinanden i toget, og havde talt om alt mellem himmel og jord, fulgte han hende hjem. Da han så, at hun boede i et fint kvarter og et fornemt hus, vidste han, at det her var en kvinde, som ikke inviterede mænd hjem efter hverken første eller anden gang.

Men til gengæld gjorde han hovedrent på sit værelse, da han kom hjem, bare sådan for at være forberedt på lidt af hvert, man vidste jo aldrig, om hun ville indvillige i at besøge ham. Han gik dog forsigtigt frem de første dage for ikke at miste hende. Inviterede hende i teatret den anden dag, vidste, at det var noget, kvinder godt kunne lide, uanset hvilket samfundslag de kom fra, så i biografen og til sidst ud at spise. På denne måde nærmede de sig forsigtigt hinanden, og det var først over desserten, den aften de var ude at spise sammen, at de fortalte hinanden om deres liv. De blev begge lettet, da de fandt ud af, at ingen af dem var forlovet, selvom de måske hver især havde prøvet lidt af hvert i deres kærlighedsliv. Men fordi de havde været nødt til at vente så længe på hinanden, gik tingene stærkt de næste dage. Hun inviterede ham ganske vist ikke hjem, og hans værelse ventede stadig, men hun præsenterede ham for sine bedste venner, og det tog han som et tegn på, at hun var interesseret i et nærmere bekendtskab. Ellers afslørede hun ikke meget, hvad det angik, syntes han, hvilket var helt rigtigt, hun havde ikke tænkt sig at handle overilet denne gang, havde vist engang brændt fingrene i et hedt kærlighedsforhold. Hun ville se, hvad han var for en mand, og hvad han rummede, inden hun lod ham komme tæt på sin duftende hud. Men det kostede hende mange anstrengelser at modstå ham, så fortryllende lys, som han var, og derfor bestemte hun sig for hurtigst muligt at præsentere ham for sine venner, så hun kunne se hans reaktioner i så mange situationer som muligt.

Som hun havde forventet, faldt hendes venner pladask for ham. De mødtes på en livlig restaurant, som var deres mødested, når de ikke havde andre planer, en gruppe på otte mænd og kvinder. Unge mennesker på alder med dem selv, nogle dannede par, andre var singler, og der var Henri, en temperamentsfuld gourmand med blåt blod i årene, Jean, som dyrkede sejlsport i sin fritid, Claude, en åndfuld journalist, og Alain, en musiker, som aldrig havde brug for søvn, og så Valerie, kommende advokat, Martine, designer, og Agnes, psykologistuderende, alle beskedne kvinder, som aldrig lod mændene mærke, at det var dem, som styrede og planlagde deres liv. En smuk gruppe, som levede af deres forfædres rigdomme og kunne købe alt, undtagen kærlighed. De blev lidt chokerede, da de så Gylfi, så lys i huden, at han nærmest strålede, vidste, at de aldrig kunne få ham, kunne kun kigge og røre. Han er så velproportioneret, hviskede Martine, i så god balance, tilføjede Agnes. Han behøvede ikke engang at retfærdiggøre sig over for dem, fortælle dem, hvem han var, komme med åndrige bemærkninger, det var nok for dem at have ham tæt på, syntes, det var en ære at have ham med i gruppen. Og når man så ud over bordet, hvor de sad, var han som en hvid lilje blandt mørkerøde roser.

7

Stanken fra gødningen generer Nanna.

Hun er dog tvunget til at bruge den, så jorden bliver mere frugtbar, strør lidt af den oven i hullet, inden hun fylder det med ny muldjord, sætter planten ned i hullet og klapper jorden til med hænderne.

Staudernes tid er inde.

De er blevet forsømt, andet havearbejde har været mere presserende, men nu er det bedets tur, det farvestrålende blomsterhav, som skal være beviset på, om ejeren er nybegynder eller viderekommene i havebrug. Hvis farvesammensætningen er forkert, kan enhver se, at gartnerens kundskaber ikke er meget værd. To gule planter kan ikke stå sammen. Medmindre de ikke blomstrer på samme tid. Gartneren skal kende hver plantes blomstringsperiode. Og så skal man være opmærksom på at plante de mindre foran de større, for at de sidstnævnte ikke skygger for de andre. Dér går det som regel i kludder for hende, Nanna ved aldrig på forhånd, hvor omfangsrige de bliver, og det er sjældent, at hun får klare svar fra gartnerierne om den forventede vækst hos de planter, hun køber, er derfor nødt til årligt at skifte planter ud og flytte andre.

Man ser tydeligt bedet fra verandaen. Fra vinduerne i kælderlejligheden kan man også betragte blomsterhavet og den, som står bøjet over planterne. Nanna ser ikke over mod kældervinduerne, så kunne fotografen tro, at hun tjekkede, om han iagttog hende. Desuden ville hun ikke kunne se ham, medmindre hun tog briller på, og dem har hun sjældent med sig, når hun arbejder i haven.

Han havde været nogle dage i lejligheden i kælderen, den udenlandske fotograf. Gylfi havde syntes, at han måtte gøre noget for manden nu, hvor han ikke ville give ham lov til at følge med ud i naturen. Låne ham lejligheden et lille stykke tid, det ville være bedre for ham at arbejde med sine fotografier og den slags dér end på et hotelværelse, hvor man hele tiden blev forstyrret af stuepiger, de havde en tilbøjelighed til at ville have tingene liggende ordentligt og altid på de samme steder. Han havde lovet ham lejligheden uden at tale med hende. Hun syntes, han gik lige lovlig vidt, hans hjælpsomhed ville udelukkende gå ud over hende. Når man gør nogen en tjeneste, går det som regel ud over en anden. Gylfi var væk hjemmefra hele dagen, behøvede ikke at frygte, at nogen fulgte med i, hvad han foretog sig, men hun kunne ikke så meget som klippe en rose uden at have på fornemmelsen, at nogen kiggede på hende.

Det var ubehageligt at have en fremmed mand i huset.

Hun var på det tidspunkt allerede færdig med at potte om og med det andet arbejde, som hun udførte i kælderlejligheden i vintermånederne og om foråret. Gjorde lejligheden ren, var ude at handle, da Gylfi kom hjem med udlændingen.

Hun havde ikke lagt meget mærke til manden, siden han kom, en eller to gange havde hun set ham storme af sted med sit kamera. Han ville vist også fotografere ude på landet og i nogle kystlandsbyer, havde han sagt til Gylfi.

Stanken fra hønsemøget hænger i havehandskerne. Nanna tager dem af, så hun kan rette på sit hårbånd. Hun er nødt til at tage en pause, en humlebi har vist den nye plante interesse, summer og snuser rundt, Nanna giver den lov til passe sine sysler, følger nøje med i, hvad den foretager sig, forsøger at se et mønster i det, synes også, det er rart at hvile sig lidt nu og da og få rettet ryggen ud.

Så mærker hun en duft.

Hun ser på planterne, som blomstrer, men samtidig med at hun snuser hurtigt op i luften, går det op for hende, at det er en menneskeskabt duft. Hun vender sig om, han står bag hende, fotografen, dufter af sæbe.

Han siger smilende godmorgen, peger på planterne med en udstrakt hånd, beundrer dem, takker hende for at have fået lov til at være i lejligheden, siger alt dette uden at gøre ophold, og hun bøjer hovedet let, som om hun lytter interesseret til ham, men i tankerne gennemgår hun grundigt omstændighederne, hvorfor hørte hun ham ikke komme? Hun burde have kunnet høre lyden af hans skridt og lyden, da han åbnede kælderdøren, havde hun været så langt væk i tankerne, da han nærmede sig, eller var hun ved at miste hørelsen?

Han taler som et vandfald, hun ser, hvordan hans mund åbner og lukker sig, hører nogle enkelte ord hist og her, kystlandsby, havn, gæstfrihed, og hele tiden forsøger hun at afgøre, om den susen, hun har for ørerne, er blevet kraftigere eller svagere, hun lægger nogle gange mærke til den om aftenen, inden hun lægger sig til at sove, når stilheden sænker sig over huset, hun har hørt, at det er sådan det starter, når man er ved at blive døv, med en konstant susen for ørerne.

Så hører hun ordet insekt og siger hva'? Ja, hvordan forholder det sig med insektlivet her i landet? spørger han interesseret. Kigger på humlebien. Jo, vi har fået de fleste arter her, efter at det er blevet varmere på den nordlige halvkugle, siger hun, vi har for eksempel humlebier og hvepse, hvilket vi ikke havde tidligere, og forskellige fluearter, som jeg ikke lige i øjeblikket kan huske de engelske navne på, men myrer har vi endnu ikke set noget til. Det er interessant, siger han andægtigt, lægger hovedet lidt på skrå og nærmer sit ansigt til hendes, og kan du forklare mig hvorfor?

Og det kan hun så sandelig og fortæller både om fakta og gisninger i den forbindelse, glemmer fuldstændig døvheden, han spørger ikke forgæves, når det gælder myrer. Han er heller ikke bange for at snakke, fortæller hende om sin erfaring og kontakt med hele myrefamilier i Nordafrika, hvor han boede som dreng.

De snakker sammen, indtil de begge er blevet trætte af at tale.

Da han atter er forsvundet ned i kælderen, tager hun havehandskerne på igen. Så kommer hun i tanke om det med hørelsen. Men kommer frem til den konklusion, at hun sikkert bare har været i dybe tanker, da han kom, og derfor ikke har hørt ham. Hun kan på den anden side ikke huske, hvorfor hun var så fordybet i tanker.

Han studerer nøje teksten gennem forstørrelsesglasset.

Stirrer med bøjet hoved på ordene, som dukker frem under glasset, fordybet i sine undersøgelser, står ved pulten i hjørnet ved vinduet, musestille, sådan ser man ham fra den åbne dør.

Finnur ved, at folk undgår at forstyrre dem, som virker dybt optaget af deres arbejde. Når han stiller sig til rette ved pulten, kan han kun ses fra siden, hvis man kigger ind ad døren, men hvis man kommer ind, virker han ikke nær så iøjnefaldende, som når han sidder ved sit skrivebord. Han orker ikke at holde en samtale i gang med kvinden, der gør rent hos ham, forsøger derfor at gøre det vanskeligt for hende at henvende sig til ham, lader hende ikke se sit ansigt. Man henvender sig uvilkårligt til den, som man kan se i øjnene.

Han har mistanke om, selvom han måske ikke er helt sikker i sin sag, men han mistænker, at kvinden, som gør rent hos ham, er tiltrukket af ham. I det mindste har en svaghed for ham eller for de omgivelser, han har skabt. Han passer som regel på ikke at komme hjem, når han ved, at hun gør rent. Men når han glemmer det og er så dum at køre hjem, mens hun er der, slår det ikke fejl, at hun forsøger at tale med ham, bringer ham kaffe eller te, hænger hans jakke op, hvis han har hængt den over en stoleryg. Prøver at gøre ham livet behageligt, hvilket han bare finder ubehageligt. Alligevel er det den bedste kvinde, han nogensinde har haft til at tage sig af det huslige arbejde, særdeles pertentlig, samvittighedsfuld, sympatisk, hvis bare hun ikke var så interesseret i, hvad han foretog sig. Mens hun gør rent, kan han ikke smide sig på sofaen, det havde været hans plan at komme hjem, smide sig i sofaen, give sig selv lov til at tænke i fred. Han er bare ikke oplagt til at have folk omkring sig.

Han stirrer gennem glasset, forstørrer billedet af sine handlinger, sine tanker de seneste timer. Hvorfor er han så nedtrykt, utilfreds, hvem eller hvad har forårsaget disse humørsvingninger, lammet hans tanker? Skuffelse, var det skuffelsen, han følte, da Gylfis sekretær sagde, at han var draget udenlands om morgenen? Han havde regnet med, at de skulle ud at fiske i weekenden, det havde de talt om, ikke bestemt noget, men talt om det. Han havde gjort alt klar aftenen inden, tøjet, fiskestangen, fluerne, havde vidst, at Gylfi ville ringe sådan lige lidt før middag og i en tilbagelænet tone sige, nå, hvad siger du så, skal vi ikke køre et smut derop efter middag, snakker du ikke lige med Hjálmar? Men så havde han været nødt til at ringe til sekretæren på grund af skatten og havde fået den nyhed, at Gylfi var taget af sted. Uden at nævne det for ham. Han havde glædet sig sådan til at komme ud at fiske.

Han kan høre kvinden gå forbi døren, han bøjer hovedet endnu længere ned over forstørrelsesglasset, hun går tilbage igen, stopper op ved døren, han rører sig ikke, hun tør ikke forstyrre ham, hendes fodtrin fjerner sig, han trækker vejret lettere.

Hvorfor skulle han blive skuffet, er han ikke vant til, at Gylfi ændrer sine planer uden varsel? Vant til det. Hvorfor havde han netop glædet sig til at komme ud af byen nu? Fordi Dúi ikke var hjemme? Fordi han blev alene tilbage? Men han var vant til at være alene. Havde han ikke altid været alene, inden Dúi flyttede ind hos ham? Sådan havde det da altid været. Hvad havde så ændret sig?

Kvinden sysler med noget ude på badeværelset, han hører det og drister sig til at flytte sig lidt fra pulten, får øje på kuverten med billederne, som ligger på skrivebordet. Fotografen har, på hans anmodning, printet nogle af billederne ud, som han har taget af ham, han er ikke ligeglad med, hvilke billeder af ham der kommer på tryk, heller ikke selvom det er i udenlandske blade eller bøger, hvor ingen kender ham.

Ikke så ringe, dér er et af ham ved skrivebordet, han ser tankefuldt på computeren, ét hos skrædderen, han ser koncentreret ind i spejlet, ét hvor han sidder på en bænk i en park, betragter noget i det fjerne, han kan i øjeblikket ikke huske, hvad det var, han kiggede på. Ikke så ringe billeder, men heller ikke specielt interessante, som om personen ikke er spændende. Det er ganske vist en flot mand, som han ser, og velklædt, men der mangler noget? Hvad er det, der mangler?

Han hører, at kvinden lukker for vandet ude på badeværelset og skynder sig at stikke billederne i kuverten igen, stiller sig til rette ved pulten med forstørrelsesglasset, står musestille og stirrer, det er noget vigtigt efterforskningsarbejde, han er i gang med. Han ser op, sådan lidt åndsfraværende, da han hører kvinden rømme sig henne i døren. Hun smiler undskyldende, siger, at hun går nu, han kan se, at hun er ked af, at hun ikke har kunnet tale med ham, så nikker hun til ham, og samtidig med at hun forsvinder fra døråbningen, ønsker hun ham god weekend.

Han betragter hende ud gennem vinduet, ser hende stige ind i sin lille bil og køre bort. Så hiver han billederne frem igen. Placerer sit ansigt under forstørrelsesglasset. Ser det, som han ikke så i første omgang. Der mangler liv i hans blik.

De lægger nakken tilbage og griner med munden på vid gab.

Ingdís griner sammen med dem, selvom hun ikke har lyst, griner, så de tror, at hun ler af sin egen dumhed, ryster endda på hovedet, siger altså, tænk engang, hvad man kan komme til at sige.

Hendes to kvindelige kolleger kan ikke holde op med at grine, måske har de været nervøse op til mødet, sikkert på grund af deres ægtemænd eller børn, de har været stressede inden og har haft brug for at få afløb for deres følelser.

Så sjovt var det nu heller ikke, det, hun havde sagt, at de var nødt til at grine sig halvt fordærvede. De havde været ved at tildele kunstnerlegater på teatrets vegne, og da hun ville afvise en ansøgning fra en skuespillerinde, som ville skrive et stykke og søgte om et legat til det fra nævnet, blev de målløse, skuespillerinden var da en alsidig og anerkendt kunstner, og de afkrævede hende en forklaring på, hvorfor hun ville afvise hende.

Hun havde ingen troværdig forklaring, skuespillerinden havde bare altid gået hende på nerverne, men det kunne hun selvfølgelig ikke sige ligeud, så hun havde bare trukket på skuldrene og sagt, at det var nu ikke det samme at stå på en scene som at skrive et stykke, det kunne ethvert fornuftigt menneske forstå, og desuden syntes hun bare, at skuespillerinden var for gammel til at påtage sig så krævende en opgave.

De havde først kigget på hende et kort øjeblik uden at sige et ord, og derefter havde de slået denne skoggerlatter op. Hun var ikke klar over, hvad det var, der var så ufattelig morsomt, før de fik fremstønnet, men er hun ikke på alder med dig?!

Så hun lod, som om hun lo ad sin egen dumhed.

Hun accepterer skuespillerinden, det kræver de andre to i nævnet, men mærker, hvordan vreden ulmer i hende. Det er heller ikke til at komme udenom, at hun fornemmer, at deres holdning udtrykker en anelse utilfredshed, som om hun har sagt noget, der gør dem skeptiske over for hende. Hvis hun ikke fik sit arbejde i nævnet betalt, ville hun holde op, kontakten med andre mennesker er ved at tage livet af hende. Hun burde tale med nogen om den slags. Men hvem? Hun kan ikke komme på nogen. Bortset måske fra Nanna. Hun er så rolig, lytter, afbryder aldrig, har ikke det dér behov for at overgå andres historier.

Ikke forstået på den måde at hun ikke bryder sig om den

skuespillerinde, tværtimod, hun er en dygtig skuespillerinde, men hun synes bare, at hun mildest talt er blevet forkælet alt for meget, folk har bare ikke godt af at blive forkælet sådan, og sidst af alt kunstnere, som altid tror, de er bedre end andre. Nanna ville for eksempel forstå det til fulde.

De afslutter mødet i nævnet, hendes kolleger siger farvel, går derfra sammen, hun ved, at de går på café, lader hende alene tilbage, fordi hun har en anden holdning end dem.

Hun samler sine dokumenter sammen, lægger dem ned i sin mappe. Der er noget, som plager hende, hun ved, hvad det er, hun var ikke konsekvent. Hun gik stik imod sine egne meninger. Det ærgrer hende, det er det, der skaber følelsen af vrede i hendes bryst. Hun har selv kritiseret denne evindelige ungdomsdyrkelse, denne kedelige generationskløft, denne holdning til alder, fordomme. Hun har kritiseret det, helt ugenert, over for enhver, der gad lytte. Og så afviser hun selv en kvinde på grund af hendes alder. En jævnaldrende.

Edderkopperne kravler op ad havestolen.

Nanna rører sig ikke, hun vil se, hvor de skal hen. Det er ualmindeligt at se to edderkopper kravle sammen op ad et stoleben, den ene bag den anden, som om de har besluttet sig for at følges ad til deres destination. Men samtidig med at hun iagttager deres færden, lægger hun mærke til, at stolen er medtaget af vejr og vind. Hun kaster et hurtigt blik på de andre havestole, ser, at de er i en lignende dårlig stand, det er tydeligt, at tiden er inde til at smøre den farvede træolie på dem igen.

Hun bliver urolig, går rundt på verandaen, mens hun tænker sig om. Egentlig havde hun tænkt sig at gå en tur ned i byen, der er så livligt om sommeren, når alle udlændingene er kommet. Få sig en kop kaffe og gå i butikker. Hun havde endda taget sommerkjole på.

Men det var sikkert mere fornuftigt først at give nogle af stolene olie og lade dem tørre i løbet af dagen, man kunne aldrig vide, om det ville begynde at regne om aftenen. Det ville ikke tage hende lang tid at klare nogle stykker, så kunne hun tage resten i morgen.

Så kommer hun i tanke om edderkopperne, kigger på stolebenet, som har været deres Via Roma, ser, at de er forsvundet og bliver lidt ked af det. Man kan aldrig se den anden vej et øjeblik, de er værre end små børn.

Malergrejet står i det mindste skur, dåserne står ordnet efter farve og type, penslerne hænger sammen på en krog, tæt sammen, de bredeste bagerst. Hun tager to ned for at have en ekstra i baghånden, samt en dåse af den lysebrune træolie, kommer så i tanke om fotografen, står helt stille, mens hun lytter efter lyde fra kælderlejligheden. Hører ikke den mindste lyd, antager at han er ude at fotografere.

Hun stryger penslen over edderkoppernes stoleben som det første. Hun har mistanke om, at de har indrettet sig i en af sammenføjningerne, hvor stolen er skredet lidt fra hinanden med årene.

De bruger for meget olie, frue, hører hun nogen sige bag sig på fransk. Inden hun kan nå at undre sig over, at han tiltaler hende på fransk, er han kommet op på siden af hende, har taget en pensel i hånden. Han dypper den professionelt i dåsen, stryger den let over stolearmen, siger, at sådan gør man det bedst.

Hun er tavs, mens hun tænker sig om. Han opfatter hendes tavshed som en irettesættelse for sin pågåenhed og undskylder. Hun fortsætter med at male på sin selvlærte måde, spørger ham så efter nogle strøg, hvordan han vidste, at hun kunne fransk. Han siger, at Dúi har fortalt ham det og også, at hun er en fremragende kok.

Vil De have kaffe? spørger hun høfligt på fransk, mens hun kommer sig over oplysningerne. Han siger, at han gerne siger ja tak til en kop god, stærk kaffe. Sender hende et besynderligt længselsfuldt blik. Hun ved ikke, om det er møntet på hende eller kaffen.

Fortsæt De bare med at male, mens jeg henter kaffen, siger hun. Fra sin plads ved kaffemaskinen i køkkenet ser hun, hvordan han tager fat, smører olie på havestolene, som gjaldt det livet. Hun tænker på sin hørelse. Hun har ikke hørt ham komme, ikke hørt noget som helst, hun burde bestille tid hos en ørelæge efter weekenden. Hun hører dog alle kaffemaskinens lyde, hører lyden af en spyflue, der summer rundt i køkkenvinduet, synes det er underligt, hvordan hun opfatter lyde forskelligt, beslutter sig for at huske disse særlige detaljer, når hun kommer til lægen.

Han dufter virkelig godt, men hun bryder sig dog ikke om at spørge ham, om han har taget en særlig sæbe med sig fra udlandet, men glæder sig i sit stille sind over sin gode lugtesans. De drikker kaffen, hun kan se, at han nyder den, og hun spørger, om han befinder sig godt i kælderen. Han siger, at det gør han, og så strejfer den tanke hende, at hun aldrig har mærket nogen lugt af mad fra kælderen, bryder sig dog ikke om at spørge, om han altid spiser ude.

Så siger han: Det er en smuk kjole, De har på, frue.

Hun får en besynderlig følelse indeni, da hun møder hans blik, han ser også på hendes korslagte ben, måler i ro og mag længden fra knæet ned til anklen, hun kender dette blik hos mænd, ved, at det er den første melodilinje i en mellemlang arie. Hun siger, at hun havde været på vej ned i byen, da hun fik øje på stolene, så, hvor meget de var falmet, var bare begyndt at male, havde fuldstændig glemt den planlagte bytur. Han ler mandigt, synes godt at kende til den slags, hun tager sig selv i at beundre hans latter, ler også lidt, så kigger han betaget på hende.

Hun rejser sig op, siger nå, spejder i alle retninger. Han siger, tag De bare ned i byen, frue, jeg skal nok smøre olie på stolene, jeg synes kun, det er rart at være til nytte. Et øjeblik bliver hun irriteret over hans fruesnak, siger, at han bare skal kalde hende Nanna og sige du. Hun kan se, at det kommer lidt bag på ham.

Nanna, siger han så bedende og med et lille glimt i øjet, må jeg smøre olie på stolene, mens du tager ned i byen?

Hun kan ikke afslå hans tilbud, kan ikke modstå hans høflige facon, mumler noget og forsøger at give ham instrukser om, i hvilken rækkefølge han skal tage stolene. Han er villig til at adlyde alle ordrer, har rejst sig op, og de drejer lidt rundt om hinanden, mens de taler om, hvordan man bedst olierer havestolene.

Hans hånd stryger uforvarende mod hendes bare arm. Hun mærker en elektrisk strøm fare gennem hele kroppen. Bliver først lamslået over sine egne fornemmelser, men tager sig så sammen, flygter ind i huset. Men inden hun lukker døren til verandaen, spørger han hende, som om det netop har været hans ærinde på verandaen, om hun ved, hvorfor hendes mand ikke vil lade sig fotografere af ham, mens han fisker. Hun er nødt til at tænke sig om et øjeblik. Siger så, at floden er Gylfis eneste fristed, dér kan han få fred for folk og bliver ikke hele tiden antastet. Men kan du ikke hjælpe mig med at få ham på andre tanker, det kunne blive sådan nogle fantastiske billeder af manden, der fisker, midt i naturen?

Hun ved nøjagtig, hvad han mener, ser billedet for sig, men siger så, nej, det vil jeg ikke. Smækker døren til verandaen efter sig, idet hun forsvinder ind i huset.

Tanglopperne myldrer rundt i panik, da Dúi vender stenen.

Olli er ikke imponeret af dem, trækker sig væk fra stenen, sender sin herre et irettesættende blik, Dúi lader, som om han ikke lægger mærke til reaktionen.

Lige siden han var barn, har han syntes, det var sjovt at vende stenene på stranden, at se, hvad der gemte sig under dem. Han går videre hen ad stranden, kigger på stenene, Olli halter bagefter, forsøger at holde sig på sandet nær vandkanten. Udstøder af og til et lille bjæf for at give udtryk for, at han gerne vil bæres, stranden er stenet at gå på, men Dúi lader, som om han ikke hører det. Han synes, at Olli har godt af at røre sig lidt og komme ud i den friske havluft.

Han gik ofte på denne strand, da han var teenager, skød genvej hjem fra sit arbejde på fiskefabrikken, hjem til sin mor, som ventede på ham i køkkenet. Der ventede hun ham med kaffe på termokanden og kiks på en kagetallerken. Når han havde fået et bad og skiftet tøj, satte han sig hos hende, hørte hende fortælle om, hvor i hendes krop smerterne havde taget bolig dén dag. De fandt hele tiden nye steder, hvor de kunne indrette sig. Dúi var aldrig i tvivl om, at hun havde ondt her og der, men nogle gange var det, som om det var blevet hendes faste beskæftigelse at være plaget af smerter. Som om smerterne gav hende en særlig position i samfundet. Men han lyttede til sin mor, han holdt så meget af hende, han havde ingen andre, ingen voksne, bortset naturligvis fra Finnur, sin morbror. Finnur havde altid taget sig godt af sin søster, skaffet hende både det ene og det andet.

Men nu var Finnur en af grundene til, at han slentrede rundt her på stranden alene med Olli haltende efter sig. Han havde bare ikke kunnet klare at tilbringe en hel weekend sammen med sin morbror, han havde haft behov for at være alene, nogle gange havde folk brug for at være alene. Hvis Finnur på den anden side var taget med Gylfi på fisketur, ville Dúi være blevet hjemme i denne weekend, så kunne han have haft lejligheden for sig selv. På den anden side lignede det ham ikke at trække sig tilbage fra nattelivets glæder, når han havde fri i weekenden, han følte bare en uro indeni, som han ikke kunne komme til klarhed over. Han havde sagt til sin morbror, at han skulle op nordpå i weekenden med drengene, men var så taget alene af sted med Olli og var kun nået halvvejs op nordpå, var endt på et hotel på sin barndomsegn. Fik rigtig meget lyst til at gå en tur på stranden ligesom i gamle dage.

Han stopper op, retter på solbrillerne, kigger en tid på de bittesmå bølger, der kæler for småstenene, han synes, han kender dem alle, stikker hånden ned i sin skuldertaske, fisker en hundekiks frem til Olli. Idet han tager hånden op af tasken, rører han ved papiret, de printede fotografier, som han har rullet sammen og slået en elastik om. Han kan ikke lade være med at kigge på dem igen, tager elastikken af rullen.

Det bedste billede af ham er det, hvor han står uden for hotellet med den ene hånd i lommen, har solbriller på og ryger, der er noget nonchalant over ham, som om denne her fyr er fuldstændig ligeglad med, hvad andre synes om ham. Det er netop det billede, som han gerne vil have, at andre har af ham, han vil bede fotografen om at bruge det. Ikke de andre, han ser så afmagret ud, især på det, som blev taget hos massøren, og slet ikke det, som blev taget af ham på pubben. Der sidder han og ser så splejset ud blandt de andre drenge, nærmest feminin. Rent ud sagt piget med det dér smil, han ser ud, som om han er ved at indsmigre sig hos drengene. Hvilket nu mindst af alt var hans plan. De kan bare passe sig selv, kan de, de prøver alle sammen at få en kæreste, som om det var den eneste mening med livet, er kommet op i alderen, staklerne, er begyndt at tvivle på deres egen magi. Han har ikke tilgivet dem kommentaren på Facebook, ikke helt, selvom han godt ved, at de bare drillede ham. Antydede, at der var noget forkert ved at bo sammen med en mand, som om de ikke udmærket vidste, at Finnur var hans morbror. Han kunne sagtens klare deres idiotiske humor, men det værste var, at kommentaren blev spredt ud til alle, og folk, som ikke kendte ham, kunne jo begynde at forestille sig noget, som i virkeligheden var noget forvrøvlet sludder. Det stillede ham også i et dårligt lys.

Han vil ikke tale med Finnur om det. Hans morbror kommer alligevel aldrig til at se det sludder, han er ikke på Facebook. Nogle gange misunder han Finnur for, at han i så høj grad er sig selv nok, han behøver ikke at være koblet op alle mulige steder. Men han kan naturligvis nævne det for Nanna ved lejlighed, hun er så god til at lytte og forvrænger ikke tingene. Selvom hun ikke kommer med løsninger på problemerne, ville det lette hans hjerte at kunne betro sig til hende.

Olli gnaver kiksen i sig, lægger sig så til rette ved Dúis fødder, ser filosofisk ud over havet.

Dúi ser igen på billedet af sig selv med solbrillerne.

Nanna står som forstenet ved hækken.

Hun kan mærke, at der kommer en lugt af mad fra hendes hus. Koriander eller kommen, hun er ikke sikker på, hvilket krydderi det er, måske er det dem begge, der dufter af. Der er også en duft af frugter, det kunne være abrikoser eller blommer. Hun har aldrig før mærket madlugt komme fra sit hus, ikke så vidt hun husker, hun har altid selv været midt i duften. Han laver mad, fotografen, det er ikke til at tage fejl af. Noget orientalsk eller sydlandsk, hun ville ikke have noget imod at kaste et blik ned i hans gryde.

Da hun har snuset tilstrækkeligt, går hun op ad trapperne til hoveddøren, ser ikke engang i retning af kælderen. Men knap har hun sat tasken fra sig, før det ringer på døren. Han står udenfor, fotografen, i T-shirt, det er varmt ude, høflig og smilende som han plejer, spørger, om hun havde en god tur ned i byen. Det svarer hun bekræftende på.

Det er sandelig varmt ude, siger han. Og hun siger, at i takt med den globale opvarmning har klimaet heroppe nordpå ændret sig, hvilket i og for sig er fint, men på den anden side har det bevirket, at der dukker en masse forskellige insekter op, som efter hendes mening er mindre ønskværdige. Nå ja, siger han, men føjer ikke noget til hendes vurdering af miljøet, men jeg tror ikke, at det varer længe, før dine stole er tørre.

Så kommer hun i tanke om havestolene, hun bliver lidt forfjamsket, drejer rundt om sig selv, går så ud på verandaen. Han følger uopfordret efter hende. Havestolene står på én række som stole på dækket af et krydstogtskib, nymalede og flotte. Hun takker ham for et veludført stykke arbejde, beundrer hans værk. Han er selv stolt af det, men siger, at det da var det mindste, han kunne gøre for hende og hendes mand efter al den megen velvilje, de har vist ham. Inden de når at lade samtalen fortsætte ud af dét spor, siger han, at han har lavet mad og gerne vil byde hende på middag, hvis hun vil tage imod en ydmyg invitation.

Hun havde egentlig andre planer, men kan ikke få sig selv til at afslå hans tilbud. I umindelige tider har mennesker glædet hinanden med mad, det ville være uhøfligt ikke at tage imod hans invitation. Desuden har manden malet alle hendes havestole. Hun tager derfor imod hans tilbud. Han siger, at han vil kalde på hende, når alt er klart.

Bordet i køkkenet i den lille kælderlejlighed er fyldt med farverig mad, gul, grøn, rød, lilla, så farvestrålende, at hun knap kan få et ord frem. Der er et utal af småretter, forekommer det hende. Han siger, at i Nordafrika sætter man alt på bordet på én gang, supper, salater, hovedretter, han har haft lyst til at lave den mad, som han fik hjemme hos sin mor, da de boede dér, og det har heldigvis ikke været noget problem at finde råvarerne, til salaten gulerødder, kål, agurker, tomater, peberfrugter, radiser, forårsløg, hvidløg, og til hovedretten lammekød, nødder, kanel, aubergine, kardemomme, men brødet har han ikke fundet, hun må nøjes med et almindeligt flute.

Nå, var det kanel og kardemomme, er det eneste, hun siger, da han opfordrer hende til at sætte sig ned. Hun ser sig omkring og bliver lettet, da hun ser, at han har ryddet pænt op efter sig i hendes kælderlejlighed. Sengetøjet ligger på sin plads oven på sovesofaen, det, hun har været mest bekymret for, var, om hun ville blive mødt af synet af sengetøj, der lå og rodede, så ville det billede have brændt sig fast i hendes sind og irriteret hende senere, når hun puslede om sine planter.

På arbejdsbordet ved vasken, der hvor hendes planter ofte fik lov at hvile sig efter ompotningen, hersker der også den skønneste orden. På bordet i hjørnet ved sofaen har han indrettet en god plads, hvor han kan sidde med computer, printer, kamera, papir, alle mulige småting.

Han rækker hende den ene ret efter den anden, denne her

er du nødt til at smage, tag nu lidt af denne her, synes du ikke, denne her salat er god? Han vimser omkring hende, gør alt for at gøre hende tilpas, underholder desuden med betragtninger om fransk og afrikansk kultur, og hvordan den viser sig i mad og drikke. Han byder ikke på vin til maden, det lægger hun mærke til, kun vand med isterninger samt nypresset juice.

Han taler, hun lytter. Solen skinner ikke længere ind ad kældervinduet, den er gået om på vestsiden, Nanna tænker for sig selv, at hvis havestolene ikke havde været nymalede, havde de kunnet sidde ude på verandaen i solen. Men så havde hun heller ikke kunnet bestemme, hvornår middagen skulle slutte, så ville det være foregået på hendes enemærker, og så ville det have været svært for hende at bede gæsten om at gå, mens hun derimod i sin egenskab af gæst kan rejse sig op og gå, når hun har lyst.

Det føles underligt at sidde nede i sin egen kælder og spise eksotisk mad med en udlænding, hun ved ikke helt, hvordan hun skal gebærde sig. Det er, som om han fornemmer det, han er meget hensynsfuld i sin opførsel, ser på hende med varme, mørke øjne, hun bliver næsten genert.

Han spørger hende, ugenert og frimodigt, hvornår og hvordan hun første gang stiftede bekendtskab med fransk kultur. Hun siger, at hun har været au pair hos en dirigent og en fransk pianist i Østrig, da hun var ung. Og vil lade det være nok med det, men han vil gerne høre om fortsættelsen på det ophold, så hun tilføjer, at hun tog til Paris, da musikerparret flyttede til Amerika. Lader det så blive ved det og retter i stedet opmærksomheden mod hans familie, fortæl mig noget om den, siger hun opfordrende. Han fortæller, at hans forældre havde en lille restaurant i Algier, at hans mor lavede mad og var berømt for sin madlavning, men da hans far døde, havde de mistet stedet, og så havde hans bedstemor, som var af polsk og fransk familie, ment, at det var bedst, at de flyttede til Paris. Hun havde altid længtes efter at komme tilbage dertil igen. Og hun havde været så sikker på, at hans mor ville få arbejde på en restaurant og dermed kunne sørge for hende og brødrene, se til, at de kom i en fransk skole, som hun havde syntes var vigtigt. Men hans mor havde ikke fået arbejde som kok på nogen restaurant, men fik i stedet arbejde som ekspedient ved kassen i et supermarked, og der arbejdede hun stadig. Hun havde forsørget familien, men de havde levet under små kår, men drengene var trods alt kommet i skole, som bedstemoren havde ønsket det. Hans mor drømte dog altid om et bedre liv, og han syntes, det var synd, at hun ikke fik mulighed for at udnytte det talent, hun havde for at lave mad.

Tror du, at hun måske ville kunne få arbejde her? spørger han så smilende. Nanna siger, at det ikke er utænkeligt, men hvad skulle de så gøre med bedstemoren?

De ler begge, og hun roser maden. Hun synes, den er uforlignelig. Så spørger hun, uden at se op fra maden, hvor i Paris de bor. Han fortæller hende det, tøvende, han ved, at hun må kende byens kvarterer, og det gør hun, siger, at hun ved, hvor det er, men kommenterer ikke yderligere på stedet.

Pludselig synes han at få en indskydelse, spørger, om hun måske kunne tænke sig at høre noget musik fra hans hjemland. Det vil hun gerne, men tænker i sit stille sind, at det nu er temmelig uklart, hvilket land han rent faktisk hører hjemme i. Siger dog ikke noget om det.

Han tager en cd fra arbejdsbordet, sætter den på anlægget, ser hemmelighedsfuldt på hende, venter på hendes reaktion. Musikken strømmer ud i kælderen. Det er arabisk musik, siger hun og tager en pause fra maden, jeg troede, den ville være afrikansk.

Bryder du dig ikke om det? spørger han hurtigt og defensivt, at den er arabisk? Jo da, siger hun, jeg har ikke den store forstand på den slags musik, men jeg synes, det er sjovt at høre den, når jeg får chancen. Jeg har bare aldrig forstået, hvordan folk bærer sig ad med at danse til den form for musik, det må være en slags mavedans, ikke sandt?

Han ser på hende med et blik, der tilkendegiver, at hun har

fornærmet ham, siger så dæmpet, jeg skal nok vise dig, hvordan vi danser. Han tager fat i hendes hånd, trækker hende op fra stolen og ind til sig, hun kan ikke stille noget op. Han lægger sin hånd om hendes liv og vugger hende fra side til side i takt med musikken.

Hun synes, han er for nærgående, for anmassende, sådan at rive hende op fra stolen og væk fra maden uden at spørge, om hun har lyst til det, og kun for at danse en eller anden maveddans. Hun ser op og ser ham ind i øjnene, hvor hun fornemmer en uro, som hun ikke bryder sig om. Hun ved, at nervøsitet ofte fremkalder et sådant blik hos folk, men alligevel begynder hun nærmest automatisk at frygte for sin egen sikkerhed. Hun er alene med en fremmed mand i huset. Danser oven i købet med ham, en dans, som kan være en forløber for mere intime berøringer. Hvilket den er, han trækker hende tæt ind til sig, lægger sin ene hånd på hendes hofte, hans vejrtrækning bliver hurtigere.

Hun tænker hurtigt, standser så pludselig brat op, tager sig til maven og panden, siger, jeg har virkelig kvalme. Han slipper hende dog ikke, før hun begynder at få opstød. Undskyld, siger hun, jeg er nødt til at gå op til mig selv og kaste op. River sig løs og styrter ud af kælderen og op til sig selv. Hun kan høre ham råbe op mod verandaen, at hun mangler at få desserten og mynteteen.

Nanna låser alle døre. Hun sætter sig på en skammel i garderobeværelset. Ser på sine kjoler, de hænger artigt på én lang række. Hun strækker hånden ud, stryger over stoffet.

De skriggule trøjer spejler sig i firehjulstrækkerens sorte lak.

Hjálmar ser, at pigerne kigger efter ham, han tøver et øjeblik, inden han åbner bildøren, kan ikke lade være med at betragte dem lidt, sådan som de kommer til syne i den skinnende lak. De står på fliserne foran butikken, slikker på deres is, begge i gule sommertrøjer, stirrer efter ham, unge og uskyldige piger fra landet, han sukker, inden han sætter sig ind i bilen.

Han har favnen fuld af fastfood, som han vil proppe i sig, inden han kører ind til byen. Optagelserne var udmattende, visse scener måtte tages om mange gange, og de er stadig i gang med at filme, men han har fri indtil videre. Kan drøne ind til byen og have aftenen for sig selv.

Sandwichen er fyldt med grøntsager og kød, smurt ind i sennepsdressing, han tager en stor bid, kigger i sidespejlet, mens han tygger, kan ikke se pigerne længere, retter på bakspejlet og forsøger at stille ind på dem, ser kun butikken, de har enten flyttet sig, eller også er de gået. Nu, hvor han ikke har dem at kigge på, mens han spiser, skruer han op for radioen, stirrer ud på de grønne enge, der breder sig ud foran ham. Kommer så i tanke om mobiltelefonen, han er nødt til at tjekke, hvem der har forsøgt at få fat på ham, mens han var i gang med optagelserne, telefonen er i baggagerummet sammen med computeren og nogle andre ting. Bilen er hans andet hjem, han holder af den, er stolt af den, sørger for at den får voks, skinner udenpå, selvom alting ligger hulter til bulter inden i den.

Han åbner baggagerummet, tager den sorte rygsæk ud, ser i farten billederne af sig selv, som ham den udenlandske tog, de ligger spredt ud i baggagerummet, han samler dem sammen og tager også dem med ind i bilen. Vil kigge på dem, mens han stopper sandwichen i sig.

Hans praktiske små forretninger tager kun nogle få minutter, de ubesvarede opkald er ikke af en sådan art, at han ser nogen mening i at prøve at få fat i dem, der har ringet, han kan ikke få internetforbindelse til computeren, så han tager de printede billeder op og kigger på dem, mens han fordøjer den sidste bid af sin sandwich. Billederne er efter hans mening ikke helt dårlige, men han synes stadig, der mangler noget kunstnerisk i dem, der er noget med kameravinklen, belysningen, jo mere han kigger på dem, jo mindre spændende synes han, de er. Det er åbenlyst, at fotografen ikke er særlig god til sit arbejde, han er sikkert bare en af dem, som tager billeder af de kendte, når de tripper hen ad den røde løber eller stiger ud af luksusbiler med nederdelen trukket helt op til skridtet. Det var vist også det, han havde sagt, fotografen, at han arbejdede på et blad, som primært handlede om kendte mennesker. Hjálmar synes dog, at folk, som har tænkt sig at lave en hel fotobog, er nødt til at være mere talentfulde og have større ambitioner, end disse billeder vidner om.

Det, han har taget af ham til hest uden for byen, er nærmest latterligt, farveløst, kedeligt, hesten står bomstille, han selv sidder stift på ryggen af den med et bistert udtryk, billedkompositionen er den samme, som var almindelig i 1800-tallet, når man fotograferede postomdelere til hest. Kunne manden ikke have taget billedet, mens han var i bevægelse? De billeder, han har taget på baren, hvor han drikker en øl med sine venner, er også påtagede på en eller anden måde. Ganske vist har fotografen fundet en udmærket vinkel, lader deres ansigter reflekteres i barens vægspejle og det sorte glas i bardisken, men han har selv et eller andet cool udtryk, som han ikke kan genkende.

De første billeder, der blev taget af ham, mens han var ved at blive sminket, er muligvis de bedste. Eller rettere sagt farverne, sort og hvid, de skarpe lamper som hvide perler, det hvide beskyttelseslag i kontrast til makeupartistens sorte tøj, hans eget blege ansigt, der ligesom dukker op ud af spejlets mørke. Det er blikket, som han ikke bryder sig om, han ser ind i linsen med iskolde øjne.

Hjálmar slår bilens solskærm ned, ser sig selv i øjnene i spejlet. Undersøger sit blik. Han synes ikke, det er hverken koldt eller livløst. Han synes ikke, der er noget bistert over hans ansigt. Men billeder lyver ikke.

Var det måske fotografen selv, som fremkaldte dette udtryk hos modellen? Var det noget i mandens natur, som gjorde, at han, modellen selv, ikke stolede på ham? Hvorfor stolede han ikke på ham?

Hvem var denne mand, hvem var denne udlænding?

Hvad var det, hans mor for sjov havde kaldt ham? Loke? Loke, som kom fra jætteverdenen, smuk og lumsk, ville tilintetgøre guderne.

Der var noget uldent ved det, noget bluff og bedrag.

Hjálmar kigger i sidespejlet, ser direkte over på døren ind til den lille landbutik, pigerne i de gule trøjer er indenfor. Så kommer han til at tænke på Nanna. Hun har altid gule havehandsker på. De seneste dage har han tænkt meget på Nanna.

Som er alene i sit hus. Sagde Finnur ikke, at Gylfi var rejst udenlands? Måske havde hun, ligesom ham selv, ikke noget at lave. Han kunne lige så godt tænke sig at tale med hende som at sidde med sine kammerater på en eller anden bar. Hun gik sikkert og hyggede sig i haven, kendte han hende ret.

Hjálmar overskrider fartgrænsen på vej ind til byen. Han stopper ikke bilen, før han er nået til Gylfi og Nannas hus. Nannas bil står i indkørslen, han tænker, at hun sikkert er ude på verandaen, går derfor gennem haven derom, men der er ikke en sjæl. Han noterer sig, at havestolene er nymalede, de er blevet stillet op langs væggen, hvor der er læ, hvis det skulle regne. Han går hen til hoveddøren og ringer på. Mange gange, der kommer ingen. Til sidst giver han op, hun er smuttet ud en tur, tænker han.

Han har sat sig ind i sin bil igen og har startet motoren, men mærker så, at han ikke rigtig er tilfreds med situationen, ved ikke hvorfor, men slukker motoren, går igen op til huset.

Denne gang går han hele vejen rundt om huset. Går op på verandaen, kigger ind ad stuevinduerne, går om på nordsiden af huset, banker let på soveværelsesvinduerne, kigger ind, ser, at dobbeltsengen er redt med puderne nydeligt stillet op oven på sengetæppet. Døren ind til badeværelset står åben, men han kan ikke komme hen til badeværelsesvinduet. Han kan se, at døren ind til garderobeværelset også står på klem. Han kender sin brors hus, ved, at der ikke er noget vindue i garderobeværelset.

Under skråvæggen sov Nanna, i et lillebitte værelse, der lå til venstre, når man kom op på loftet. Der var lige akkurat plads til sengen og hylderne, hvor hendes legetøj stod, dukkehuset kunne ikke være på nogen af hylderne, det stod foran dem. Hendes tøj hang på en mængde knager, som hendes mor havde lavet, inden hun kom op til Gud i himlen. Og hendes undertøj lå i den lille kommode, som engang havde været skufferne i hendes fars skrivebord, det havde han selv fortalt hende. Han sov i det andet værelse, der var på loftet. Det havde også skråvægge, men var dog lidt større. Fordi de begge to havde sovet derinde, han og hendes mor, inden hun kom op til Gud i himlen. Nu sov han der alene, men indimellem overnattede kvinderne, som sang for ham, hos ham. De var altid så gode ved hende, men de lugtede ikke godt.

Nanna var vågnet, men hun vidste ikke, om det var blevet morgen, eller om det stadig var nat, for nu var det sommer, og så var det lyst hele døgnet, hun vidste ikke helt, om hun skulle stå op. Men hun stod op, fordi alt var så stille og underligt. Da hun faldt i søvn, havde de alle sammen været nedenunder, hendes far og mændene, som spillede sammen med ham i bandet, hun syntes, det var så rart at falde i søvn, mens de spillede. Så var hun ikke alene, og så tænkte hun ikke på sin mor, som bare var draget op til Gud uden at tage hende med. Hvornår kommer mor tilbage? havde hun spurgt sin far, og han havde sagt, at der ville gå lang tid, hendes mor skulle være rigtig længe hos Gud, for han havde det så svært, ham Gud.

Hun stod op og kiggede først ind i værelset ved siden af. Der lå ingen i sengen, men alligevel var det, som om nogen havde ligget i den. Hun sneg sig ned ad trappen, og det knagede i den, så det kunne høres over hele huset. Hun stod længe i døren til stuen og kiggede ind. Først kunne hun ikke se nogen og fik hjertebanken, fordi hun ikke kunne lide at være alene i huset. Så fik hun øje på sin far, han lå på sofaen med et tæppe over sig, hun kunne kun se hans lange, lysebrune hår. Så åndede hun lettet op. Et øjeblik havde hun troet, at han var taget på besøg hos hendes mor og Gud. Og så ville han være rigtig længe væk, alle, som tog på besøg dér, var længe væk.

Hun så på alle flaskerne og glassene på sofabordet, hun var tørstig, men turde ikke drikke den slags gennemsigtig sodavand, som mændene drak, det smagte rigtig dårligt. Hun så, at manden med det sorte hår havde efterladt sin kæmpestore guitar, da han gik, den var enormt stor, guitaren, meget større end hende. Hun havde altid syntes, at guitaren var en kvinde, som man kunne omfavne. Hun gik hen til den, omfavnede den ikke, fingererede bare lidt ved den, tog fat i en af de lange strenge, trak i den. Der hørtes en mørk lyd, meget mørkere end den, der kom fra hendes fars guitar.

Nanna, lille skat, sagde hendes far, og hun fór sammen og trak hånden til sig. Nanna, lille skat, er du vågnet? Han rakte hånden ud, ville have, at hun skulle komme hen til ham. Og hun gik over til sin far, og han lod hende krybe op til sig i sofaen og lagde tæppet over hende også. Det var så rart at ligge lunt ved siden af ham, men han lugtede ikke godt, så hun vendte ansigtet bort fra ham. Nanna, lille skat, sagde hendes far, hostede lidt og kyssede hende på halsen. Ved du hvad, nu skal far på turné med drengene til udlandet, og vi skal være væk et godt stykke tid, og imens er du så nødt til at være hos min søster Didda og hendes mand Raggi og deres dreng, kan du huske ham, ham du legede med i påsken, da du fik det store påskeæg, det bliver rigtig sjovt, og du får også lov til at gå i den skole, som drengene går i, kan du huske den, den gule skole?

Nanna fik hjertebanken igen og kunne intet sige i meget lang tid, men så sagde hun til sin far, at hun kun ville være hos ham, hun kunne sagtens tage med ham på rejse. Han sagde, at det var umuligt, desværre. Så sagde hun, at hun bare ville være alene i huset og vente på ham. Men han sagde, at det også var umuligt, for manden, som lejede huset ud til dem, ville selv have det, hans datter og hendes børn skulle flytte ind i det.

Bor jeg så ikke længere nogen steder? spurgte Nanna sin

far, og han sagde: Jo, min elskede lille skat, du bor altid i mit hjerte.

Selvom hun åbnede alle vinduerne, mens hun skiftede sengetøj, havde hun det, som om støvfnuggene havde lagt sig permanent til rette i hendes næse. Hun lænede sig ud ad det åbne vindue, pudsede energisk næse flere gange, men det var til ingen nytte, det var, som om der sad noget fast i hendes næse. Sandsynligvis sad støvet i gulvtæppet efter mange års brug, små cellerester fra de mennesker, som havde bevæget sig rundt her. Hun ville sige til sin far, når hun kom hjem på ferie, hvis hun ellers fik nogen ferie, at han skulle udskifte gulvtæpperne på det her fandens hotel. Rive hele skidtet af og lægge parket eller noget i stedet. Hun var ligeglad, hvad der blev lagt på gulvene, hun havde ikke tænkt sig at overtage det her bras, så meget var sikkert, hun ville skrive, det var bare et spørgsmål om, hvornår og hvordan hun skulle fortælle dem om det. De ville blive meget kede af det. Det betød så meget for forældre, at børnene overtog efter dem. Sådan var det også med Nannas forældre, de ville naturligvis gerne have, at deres datter skulle tage over efter dem. Og så kom Gylfi ind i hendes liv, lys og fascinerende.

Men selvom Nanna var dybt forelsket, ville hun være sikker på, at det kunne holde, inden de fortsatte. Hun var endnu ikke blevet overbevist om hans gode egenskaber, og hendes venner var også kun blevet blændet af lyset, da de så ham, og derfor var hans åndelige evner ikke blevet sat på den store prøve. Hun bestemte sig for at bedømme ham, som Valerie, advokaten, indimellem udtrykte det. Hendes forældre og nærmeste slægtninge, jøder, som ikke havde glemt deres fortid og ikke lod sig forblænde af komplimenter eller et lyst udseende, skulle være hendes højesteret. Hun arrangerede derfor, at han blev inviteret til middag. Men Gylfi vidste, hvad klokken var slået, regnede med, at middagen ville blive et camoufleret forhør og forberedte sig, som om han skulle til en mundtlig eksamen. Hendes forældre tog imod ham i det fornemme hus i aristokratkvarteret og præsenterede ham for mostre, en svoger og en gammel ven af familien. Alle virkede naturlige og glade, men Gylfi, der var meget sensitiv, fornemmede alvoren, der lå bag, og han mærkede, hvordan hver eneste bevægelse, han gjorde, og hvert eneste ord, han ytrede, blev målt og vejet. Han sørgede for at påtage sig rollen som den rolige, tavse mand. Han var ikke til at slå et smil af, men når folk henvendte sig til ham, så han dem ligefremt ind i øjnene. Han vidste, at den form for opførsel var tillidsvækkende og appellerede til ældre mennesker. Han lod dem føre ordet og fortælle om sig selv, inden man gik til bords, og for en tid så det ud, som om de skulle bevise noget over for ham og ikke omvendt. Men da de havde spist hovedretten, lod han, som om han var begyndt at befinde sig godt og deltog mere aktivt i diskussionen. Da Nanna oplyste, at han havde i sinde at beskæftige sig med digtning, når han var færdig med sit studium, vidste han, at tiden var inde til at bevise sin formåen. Opmærksomheden blev rettet mod ham, alle censorerne kiggede forventningsfuldt i hans retning, og han begyndte i al beskedenhed at tale om sin nations digtning, refererede til nordisk mytologi og græsk filosofi, talte lidt om Augustin og Kierkegaards gudsforestillinger, kritiserede Habermas og Cixous' filosofi og rundede af med et digt på fransk, han selv havde skrevet, om grådighed og ødelæggende kræfter i naturen. Han slog igennem og det så eftertrykkeligt, at der var stille længe, inden nogen turde komme med deres syn på hans fremlæggelse. Men det var tydeligt, at han havde klaret prøven med glans, og efter denne åndrige middag havde han uhindret adgang til Nannas hjem og hjerte.

8

Stedmoderblomsterne står og smiler til hinanden.

Har det så eventyrlig godt i blomsterkasserne på altanen i solen, har fået nok at drikke og ser desuden vand inden for rækkevidde, hvis de på ny skulle blive tørstige hen under aften efter en solrig dag. Vandet står på bordet i en stor, grøn plastickande, det iskolde vand. Kvinden, som plejer at vande dem, sidder ved bordet, hun ser ganske vist sur ud, men det lader de sig ikke gå på af, smiler bare til solen og til hinanden, gule, lilla, røde.

Ingdís afskyr søndage. Det er den eneste dag i ugen, hvor hun ikke ved, hvad hun skal lave. Ensomheden kan være så knugende, at hun ikke engang kan koncentrere sig om en bog og da slet ikke om at bladre i et magasin, det er, som om ensomhedsfølelsen trækker al kraften ud af hende. En kvinde, som har masser af venner og en søn og børnebørn oven i købet, hvordan kan det være?

Hendes børnebørn er på ferie med deres mor på en solstrand i syden lige netop nu, hvor hun selv har masser af tid, hun kunne været gået ned i byen med dem og købt is eller kunne have taget dem med i parken eller i svømmehallen. Hun burde måske smutte en tur i svømmehallen, man vidste aldrig, om hun måske mødte nogen i jacuzzien, som hun kunne tale med. Hun var dog ikke rigtig i humør til at gå i svømmehallen nu, hendes hår var rent, og hendes neglelak var knap nok tør. Hun kunne godt have tænkt sig at gå ud at shoppe, kigge på kjoler eller sko. Hun tænker på sin veninde, digteren, hun ville altid gerne gå med i butikker, men så kom hun i tanke om, at de fleste butikker i centrum er lukket om søndagen, de ville blive nødt til at tage i storcentrene i forstæderne. Og ingen af dem har en bil. Hun gad ikke vente på en bus.

Det ville også have været sjovt at tage en tur ud af byen på sådan en god dag, men endnu en gang var det den manglende bil, der hæmmede hende. Det faldt aldrig Hjálmar ind at tilbyde at køre en tur med hende ud på landet om søndagen, og han havde ellers en bil, der nok var værd at prale af. Hun havde knap set ham i flere dage, han havde kun lige kigget ind forbi for at tage et bad og skifte tøj, han havde travlt med filmoptagelser, det vidste hun godt, men alligevel havde hun på fornemmelsen, at han havde gang i noget natteroderi. Det havde måske at gøre med en eller anden kvinde, det ville hun da bare håbe. En, som han senere kunne flytte ind hos. Selvom det var udmærket at have sin søn hjemme, var det alligevel ubehageligt aldrig at vide, hvad han foretog sig, hun kunne være i gang med at drikke et glas vin, og så stod han pludselig dér foran hende. Drog naturligvis den konklusion, at hun altid drak, når hun var alene. Hvilket slet ikke var rigtigt, hun fik sig bare et enkelt glas vin eller to i weekenderne.

Han havde tilbøjelighed til at være dominerende, det var noget, han ikke kunne kontrollere. Måske hang det sammen med det at være mand, hans far havde også været sådan. Men tilbøjeligheden kunne også tænkes at gøre sig gældende hos børn over for deres forældre. En eller anden trang til at bestemme, som børnene ikke kunne styre. Forældre skulle helst være hellige, sådan at de, børnene, kunne se op til dem. Hvorfra kom denne tilbøjelighed hos mennesket til altid at ville se op til nogen? Eller det modsatte, altid at ville være hævet over andre?

Hendes tanker bliver afbrudt af nogle lyde fra huset skråt overfor. Den gamle kone er ude at gå på sin altan. Den er smal og lang, lige tilpas længde til at hun kan gå frem og tilbage med sin rollator. Hendes udendørstid. Ingdís ved, at hendes egen altan aldrig ville kunne bruges til gåture, den er for kort. Ligesom livet. Det er for kort. Og her sidder hun, en kvinde i sin bedste alder, som altid har nægtet sig selv en masse, fordi hun sparer op til alderdommen, bekymrer sig så meget for den. Måske er det ikke så underligt, det er svært nok at være gammel her i landet, også selvom man ikke tilmed er fattig og afhængig af andre.

Hun burde være taget sydpå for at ligge på stranden i en uge, selvom det er varmt, man kan blive kølet af i havet, men med hvem? Hun gennemgår sine veninder i tankerne, men kan ikke komme på nogen, som kan slippe af sted hjemmefra med kort varsel. Heller ikke mænd. Den eneste mand, hun kender, og som hun ved er ledig, er Finnur, hendes svoger. En fra familien, det ville være meget naturligt, hvis de tog et eller andet sted hen sammen. Så husker hun, hvor arrogant hun opførte sig over for ham, sidst de mødtes, det var ikke sikkert, at han havde tilgivet hende det. Han kunne være så mærkelig. Så falder hendes tanker pludselig på Nanna, hvorfor ikke Nanna? Gylfi burde vel nok kunne forlige sig med, at hun var bortrejst i nogle dage, han som altid selv var på farten. Ingdís lyser op.

Hun går op ad de to gader til Nannas hus, stopper op på fortovet for at beundre farverne på stauderne i bedene, hører så stemmer i søndagsstilheden. De kommer omme fra vestsiden af huset, fra verandaen. Gylfis stemme, så er han altså kommet hjem. Så meget desto bedre, så kan hun tale med ham ved samme lejlighed. Hun hører også Nannas stemme, og så er det, som om hun har svært ved at komme ud af stedet. Hun stirrer bare på de smukke planter og lytter. Tonen i deres stemmer er for personlig. Som om de skændes, men på en høflig måde.

Hun vender sig om og går, ved godt, hvornår hendes tilstedeværelse er uønsket.

Ingdís går længe rundt i gaderne og tænker. Til sidst sætter hun kursen mod Finnurs hus. Det er fortvivlelse, der driver hende derhen, det ved hun godt, men hun kan ikke gøre noget ved det. Har ikke magt over sig selv. Hun samler mod til sig, inden hun ringer på.

Efter lang tids venten lukker Dúi op. Han er bleg, virker irritabel. Ingdís siger hurtigt, at hun gerne vil tale med Finnur. Finnur? gentager Dúi, som om hun har nævnt Gud den almægtige eller noget lignende, Finnur er rejst til udlandet, han skulle til en eller anden sommerfestival eller koncert i Tyskland. Ingdís bliver helt forfjamsket, hun spørger, hvem han er taget af sted sammen med. Sammen med? gentager Dúi ligesom før, han tog bare af sted alene, som sædvanligt, Finnur har jo ingen problemer med at tage af sted alene. De sidste ord bliver sagt i en let hånlig tone. Ingdís kan se, at Dúi hverken er god at tale med eller i et specielt imødekommende hjørne lige nu. Hun bestemmer sig for at lade ham være i fred.

Hun har siddet et godt stykke tid på sin altan og drukket kaffe med fløde, fordi det er søndag, da hun begynder at analysere situationen. Hun kan ikke klare at rejse alene til udlandet nogle dage, men hvorfor kan Finnur det, er det, fordi han er en mand, er det lettere for dem end for kvinder at være alene, og hvis det er sandt, hvad er så grunden til det? Er det herkomsten, opdragelsen, traditionerne, er det noget i generne? Hun bryder sin hjerne, indtil hun næsten får hovedpine. Til sidst rejser hun sig op, strækker sig, fingererer lidt ved blomsterne i altankassen, fjerner et par visne blade, tager vandkanden fra bordet og hælder vand over stedmoderblomsterne. De snapper efter vejret.

En dag, hvor hun havde en tid hos mig, spurgte hun, om jeg ikke kunne give hende en eller anden tryllemaske på, det var åbenlyst, at hun ikke var pæn nok til at blive fotograferet. Og jeg spurgte, om hun var på vej hen til ct fotoatelier, så ville jeg tilbyde at lægge makeup på hende også, men hun sagde, at det var hun ikke, der var bare en udenlandsk fotograf, som havde opholdt sig hjemme hos hendes familie, og han havde villet fotografere alle de tilstedeværende undtagen hende.

Nå, så snakkede vi om dagen og vejen, som vi nu gør, mens hun får sin pedicure, Ingdís er kommet hos mig i så mange år, og hun har altid passet godt på sine fødder, og endnu engang faldt snakken på denne her fotograf, hun var tydeligvis meget optaget af ham. Hun sagde, at han var araber eller neger, hun vidste ikke hvilken af delene, han var så blandet, manden havde været inviteret til middag hjemme hos hendes stedsøn, han skulle vist nok lave en fotobog om folk her i landet, og han havde bedt om lov til at fotografere alle undtagen hende og fruen i huset. Han var som sagt en rigtig mandschauvinist, sagde hun. Og så snakkede hun noget om, at de alle sammen var sådan, de dér mænd fra syden, bortset fra at der var noget uldent ved ham her, han lod, som om han var fra Paris, men det var tydeligt for enhver, at han var fra Afrika eller Asien eller guderne må vide hvorfra. Men det værste var, at han havde vist hendes søn Hjálmar så stor interesse, virkelig stor interesse, og hun var ikke meget for, at hendes søn skulle være i selskab med den slags mænd.

Og så gik jeg ligesom i gang med at udtrykke min beundring for hendes søn, fortalte hende, hvor dygtig en skuespiller jeg synes, han er, man ser ham jo også altid i alle mulige blade, og det blev hun glad for at høre. Jeg tror også, at det er vigtigt for hende at være mor til sådan en berømt skuespiller, og her på skønhedssalonen siger vi også altid, ja, det er rigtigt, hun har bestilt tid hos os i dag, skuespillerens mor.

Ingdís har tendens til at kritisere folk, ligesom hun også spekulerer over, hvad andre synes om hende, og sådan har hun altid været. Nu har vi været veninder, siden vi gik i gymnasiet sammen, og fordi jeg er uddannet økonom, hjælper jeg hende tit med økonomien. Ikke forstået på den måde at vi står hinanden meget nær, men vi mødes altid nogle gange om året og kan fortælle hinanden alt, fordi vi har kendt hinanden så længe. Hun kom forbi hos mig en dag, og vi tog ud for at spise frokost sammen, og der irriterede hun sig over en eller anden fotograf, som virkelig gik hende på nerverne. Jeg gad nu altså ikke lytte til al den negative snak, mens jeg spiste, og desuden var vejret så godt, at vi kunne sidde ude, så hendes historier om manden gik ind ad det ene øre og ud ad det andet. Som regel er hun sur, hvis sønnen ikke har fået god nok kritik for sine skuespilpræstationer, men nu var hun sur, fordi fotografen kun ville tage billeder af ham og ikke af hende. Hun sagde, at det var en yngre, udenlandsk mand, mørk, men alligevel flot. Jeg tror nu altså, at hendes problem først og fremmest er, at hun ikke har nogen mand, det har jeg tit sagt til min mand, hun burde have skaffet sig en mand for pokkers længe siden, en god mand, han drak så meget, ham, som hun fik drengen med. Men selvfølgelig er det svært for hende at finde en ny mand, mænd bryder sig ikke om kvinder som hende, der konstant lufter deres meninger. De synes bare, at de er besværlige. Jeg har sagt til hende mange gange, at hvis man skal opnå succes som kvinde i det her samfund, er man nødt til at være omgængelig og glad, ikke lufte sine meninger eller komme med kritik, men bare forsøge at være veloplagt og underholdende, når man er sammen med andre. Kvinder, som er anderledes, risikerer at blive holdt udenfor eller endda marginaliseret. I den slags små samfund er man nødt til ikke at skille sig ud fra mængden, men bør i stedet hellere forsøge at være en del af gruppen og arbejde for at tage føringen. Men det overraskede mig, hvor irriteret hun var over fotografen, så jeg begyndte at få mistanke om, at der lå noget andet og mere bag. Det faldt mig endda ind, at hun var blevet forelsket i den der udlænding, og at hun netop derfor var fornærmet over, at han ikke ville tage billeder af hende. Jeg nævnte det ikke for hende, forsøgte i stedet at tale om vejret, det var så vidunderligt den dag.

Olli bliver lettet, da han ser, at Dúi tager trækvognen frem.

De skal altså alligevel ud at spadsere, han var begyndt at

frygte, at han skulle drive den af indenfor i det her milde vejr, en overgang så det ud til at skulle ende sådan. Han logrer ivrigt med halen, ved, at den bevægelse ofte fremkalder et smil hos Dúi. Hvilket den ikke gør denne gang. Så han forsøger at gøre så lidt som muligt opmærksom på sig selv for ikke på nogen måde at have indflydelse på sin herres beslutning om at tage ham med ud at gå.

To små piger, som Dúi kender, kommer gående hen ad gaden og får lov at hilse på Olli i trækvognen. Olli springer op ad dem, så godt han nu kan komme til det, mens han er i vognen. De ved godt, at han er halt, den stakkels lille hund, har altid haft utrolig ondt af ham, vil gøre alt for ham, låner ham nogle gange deres legetøj. De vil så gerne give ham deres sæbeboblesæt, har ikke andet med sig i øjeblikket, og det tager Dúi et godt stykke tid at forklare dem, at Olli ikke kan blæse sæbebobler.

Folk er ude i deres haver iført shorts, Dúi er også let klædt på. Olli har tungen hængende ud af munden, han er ved at omkomme af varme, bliver temmelig glad, da han ser, at Dúi sætter kursen mod Nannas hus. Han ved, at dér kan han køle af i skyggen under træerne.

Der er ingen bevægelse ved huset, der hviler en lummer varme over haven. Gylfis bil er intetsteds at se, men Nanna kunne godt være hjemme, hendes bil holder parkeret ude på gaden. Dúi trækker vognen ind på græsplænen, slipper Olli løs i haven. Han halter med utrolig fart hen mod træerne, tisser i skyggen af dem, ligesom han plejer. Dúi går rask op til verandaen, forsøger at virke veloplagt, melder sin ankomst på vejen ved at råbe hej, er der nogen hjemme?

Det giver et lille sæt i ham, da han ser, at havestolene er blevet foldet sammen, bordet er fjernet, og hynderne er stablet op ved døren under noget plastic. Som om de er rejst. Og har tænkt sig at være længe borte.

Nanna er taget af sted. Netop nu hvor han har brug for hende. Han mærker, hvordan ensomheden sniger sig ind på ham. Denne modbydelige følelse, som har gnavet i hans krop de seneste dage. Han ved ikke, hvordan han skal takle den, er rådvild.

Han får øje på et ildrødt sjippetov, der ligger ved kanten af solterrassen, halvt skjult under en af dværgmisplens afkortede grene. Dúi går ud fra, at Hjálmars børn har været på besøg, spekulerer over det, er i dybe tanker, mærker samtidig, hvordan sveden springer frem på hans pande, solen er brændende varm.

Så er der nogen, der lægger en hånd på hans skulder. Han snapper efter vejret, så forskrækket bliver han. Han har ikke hørt en lyd midt i al stilheden.

Det er den udenlandske fotograf. Han smiler, hilser kammeratligt på ham, siger, at ægteparret er kørt for en time siden eller deromkring. Hvad laver du her? spørger Dúi mistænksomt. Fotografen siger, at de har givet ham lov til at bo i kælderen for en tid, Gylfi har tilbudt ham det.

Dúi er helt forbløffet, spørger, hvor Nanna så skal være, når hun skal ompotte planterne? Men fotografen trækker på skuldrene, det er tydeligt at se, at han ikke aner, hvad Dúi taler om, smiler bare. Ved du, hvor de tog hen? spørger Dúi så omsider, efter at han er kommet sig lidt over nyhederne, siger det bare for at sige noget, selvom han har mistanke om, at de er kørt ud vestpå. Han synes, det er ubehageligt, at det lykkedes manden sådan at snige sig ind på ham, beslutter sig dog for at være så høflig over for ham som overhovedet muligt.

Fotografen svarer ham ikke, ser sig hurtigt omkring, siger: Giv mig lov til at tage ét billede, vent, mens jeg henter kameraet. Dúi tørrer sig over panden, ved ikke, om han skal gå eller blive. Kalder på Olli, mens han tænker sig om, men så kommer fotografen tilbage, bøjer sig ned ved et af bedene og løfter kameraet. Dúi ved ikke, hvilken retning han skal kigge i.

Fine billeder, siger fotografen, rejser sig op og ser på billederne på kameraet, se bare, går hen til Dúi, viser ham billederne. Dúi kigger på dem, de er fine, det må han indrømme, faktisk er de særdeles gode, synes han. Han ser ud som en filmskuespiller, der med et uudgrundeligt udtryk venter på, at noget vigtigt skal ske, han minder om en bestemt skuespiller, kan ikke i øjeblikket huske hvem. Det er, som om angsten, der føltes som en trykken for brystet, langsomt er ved at lette, han trækker vejret roligere.

Du har ikke været ude på landet endnu for at fotografere, siger han og ser med anerkendelse på manden. Fotografen siger, at han har været ved at ordne sine billeder og sortere i dem, og derefter havde han tænkt sig at slentre en tur ned i byen for at tage nogle billeder af folkelivet. Spørger, om han ikke vil indenfor og se de andre billeder. Dúi er i syv sind, han har ikke lyst til at se de billeder, som irriterede ham, men hans nysgerrighed tager overhånd, måske hans forfængelighed, man kan aldrig vide, om manden har flere gode billeder af ham i sine gemmer.

Han følger efter fotografen hen til kælderdøren, kalder på Olli, går efter manden ind ad døren. Bordet er dækket med billeder, sorteret, kategoriseret efter et eller andet system, som han ikke kender. Fotografen tager en bunke op, stiller billederne af ham op i sofaen, det ene efter det andet, breder dem ud, ser så forventningsfuldt på Dúi. Dúi bøjer sig en anelse ned over billederne, der er så mange, som han ikke har set før. Alle sammen af ham, det er underligt at se så mange billeder af sig selv på én gang, som om han er noget helt særligt, noget ekstraordinært.

Så mærker han fotografens hånd på sin ryg, mærker varmen fra den gennem den tynde skjorte, mærker, hvordan manden stryger ham lidt over ryggen, fast.

Dúi stivner, mærker, hvordan blodet stiger ham til hovedet. Manden forgriber sig på ham, det er der ingen tvivl om, han står og befamler ham, hvad tror han egentlig om ham?!

Han slår fotografens hånd væk, siger med skinger stemme: Hvor er Olli?! Farer hen til døren. Manden går efter ham, taler hurtigt, siger nej, jeg vil ikke have hunden ind. Dúi river døren op, Olli, som har ventet tålmodigt udenfor på sin herre, smyger sig ind, presser sig ind, da døren bliver åbnet, ender på fotografens fødder. Som instinktivt skubber ham fra sig med den ene fod.

Dúi bliver askegrå i ansigtet, griber fat i mandens skjortekrave, ryster ham, skubber ham op mod væggen, råber til ham, om han har sparket til hans hund, sparker du til min hund, din satans djævel!

Fotografen er rædselsslagen, forstår ikke den pludseligt ændrede situation, ved ikke, hvad det er, han har gjort, der generer manden, forsvarer sig ikke. Det er, som om Dúi bliver grebet af raseri, han ser rødt, han ser ingenting, han ved bare, at han er nødt til at slå manden. Og han griber det, der er lige ved hånden, en gammel paraply, som står i entréen, og banker af al kraft manden med den, lader slagene hagle ned over ham, og fotografen forsøger at beskytte sit ansigt, beder Dúi holde op med det dér, han har ikke gjort noget, og han knækker sammen, falder næsten om, men Dúi hører ingenting, han tæsker løs på manden, indtil han ser blod ved hans ene øre.

Så stopper han, kan ikke få vejret, vakler et øjeblik, men vender sig så mod Olli, som har trykket sig angst op mod væggen, løfter den op, stormer ud med hunden, ved ikke selv, hvem han er, hvor han skal hen, står skælvende uden for kælderdøren med Olli i favnen, ser trækvognen stå på græsplænen i varmen, snupper den lynhurtigt, løber bort derfra, bort fra sig selv.

Nanna ville vise jordemoderen sit barn. Hun havde lille Senna i den fine franske klapvogn, nød at skubbe hende foran sig og kunne ikke lade være med at kaste et blik op mod vinduerne i bygningerne langs gaden for at se, om der ikke helt sikkert var nogen, der kiggede på dem. Jordemoderen, som boede i nabolaget, var for længst gået på pension og boede alene i stueetagen i et lille hus. Nanna havde ikke set hende i mange år, ikke siden hun rejste til udlandet, men hun havde altid skrevet til hende. I sit seneste brev havde hun fortalt, at hun var på vej hjem, og at hun så straks ville besøge hende og vise hende sit barn. Jordemoderen sad i efterårssolen uden for sit hus, opdagede ikke, at Nanna vinkede til hende, stirrede bare frem for sig, slap ikke taget i de krykker, som hvilede i hendes skød.

Nanna blev forskrækket, da hun så, hvor gammel hendes rare jordemoder var blevet, hendes hår var hvidt, ryggen krum. Hun så op, da Nanna råbte til hende, så undrende på klapvognen, der nærmede sig, men syntes ikke at kunne se den, der skubbede den. Det gjorde ondt i Nanna, da hun så hende. Hun holdt så meget af den gode kone. Hun bragte hende til verden, og senere, da Nanna blev sat i pleje hos sin tante, kom hun jævnligt på besøg for at holde øje med hende, hun var i familie med dem. Hun kom, satte sig på køkkenskamlen, trak hende ind til sig, strøg hende blidt over kinden, så hende ind i øjnene med et blik fuldt af varme og hviskede, hvordan har du det, elskede lille Nanna, og hvordan går det i skolen? Og så ville hun helst have, at hun sad hos hende hele tiden, mens hun drak kaffe hos sin familie. Om foråret ville hun altid se hendes karakterer og var stolt som en mor, hvis Nanna klarede sig godt. Selv havde hun fået en søn, men han var druknet på havet.

Nanna omfavnede og kyssede sin jordemoder. Så genkendte jordemoderen hende, sagde, jeg kan altid kende dig på lugten, søde Nanna, jeg har bare fået så dårligt syn.

Hvordan lugter jeg? spurgte Nanna og lo, selvom hun frygtede, at hun lugtede mærkeligt. Det er en hemmelighed, som jeg tager med mig i graven, sagde jordemoderen, og som du kan se, er jeg på vej derhen. Jeg brækkede mit ben sidst på vinteren, og det nægter at gro sammen. Cellerne, som skal læge det, har givet op. Måske er de blevet inficeret af et eller andet skidt, men jeg orker ikke, at de skal rode i mig for at undersøge det nærmere.

De talte kort om celler, de syntes begge, det var et interessant samtaleemne. Så hikkede Senna, og Nanna kom i tanke om barnet. Det hér er mit barn, som jeg fortalte dig om i brevet, sagde hun og vendte klapvognen, så jordemoderen kunne se barnets ansigt. Jordemoderen lænede sig frem, så længe på barnet, sagde så, hvor er det en køn lille pige, du har, søde Nanna, og med helt kulsort hår. Hun smilede skiftevis til dem begge og kneb det ene øje sammen, efterårssolen var så skarp.

Nanna satte sig hos hende på trappen og spurgte hende om alt, hvad hun havde oplevet, siden hun så hende sidst. Jordemoderen forsøgte at svare hende, så godt hun kunne, men talte ikke meget om, hvordan hun havde det, det havde hun heller ikke gjort i de få breve, som hun havde skrevet til Nanna, mens hun var i udlandet. Hun var også åndsfraværende, afbrød ofte sin usammenhængende fortælling med bemærkninger om klapvognen. Hun var vældig begejstret for klapvognen, kiggede længe på den. Sagde så til sidst og efter et godt stykke tid, jeg havde også sådan en flot klapvogn, da jeg havde min lille søn.

I det øjeblik vidste Nanna, at jordemoderen snart skulle se sin søn igen. Nanna blev overvældet af sorg. Når jordemoderen var borte, havde hun ingen tilbage, som holdt af hende som barn. Sin far udelukkede hun. Han kunne have det så godt der i udlandet et sted, hvor han boede med sin familie. Hun havde sidst talt med ham i telefon, da hun gik i gymnasiet. Dengang havde hun bestemt sig for aldrig at tale med ham mere.

Kvinden havde lagt makeup. Hun havde ikke ryddet op efter sig, ikke lagt sin makeup i makeuppungen igen, da hun var færdig med at sminke sig. Forventede sikkert, at stuepigen gjorde det. Hun havde også tabt noget makeup ned i vasken. Nu var det svært at få farven væk, det ville tage rigtig lang tid, og hun manglede så mange værelser, der skulle gøres rene. Hun kunne ikke døje folk, der svinede og ikke ryddede op efter sig. Skraldespanden var desuden fyldt med brugte tamponer. Og det hér skulle hun, selveste arvingen, gøre rent. De ville fortryde det senere, hendes forældre, fortryde, at de havde snydt hende for al den dyrebare tid, som naturligvis burde være blevet brugt på at skrive. Hvis de bare vidste, hvor god den historie var, som hun var ved at skrive. Men det vidste de selvfølgelig ikke, der var så meget, de ikke vidste om hende. De havde ingen anelse om, hvilken vej hun ville vælge.

Til alles forundring havde Gylfis familie ikke accepteret Nanna lige så let, som hendes familie have accepteret ham. Man havde forventet noget andet. Men sandsynligvis var det Gylfi og Nannas egen skyld, de var måske ikke gået til hans familie på den rette måde. Nanna var Gylfis store kærlighed, og han havde besluttet sig for aldrig at give slip på hende. Efter tre måneders samvær bad han om hendes hånd. Lod hende samtidig forstå, efter at hun havde givet ham sit ja, at han ville fremskynde brylluppet. Og den disposition passede den franske familie særdeles godt. Hendes forældre havde for længe siden bestemt sig for at trække sig tilbage, lade Nanna overtage driften af deres virksomheder og selv flytte ind i deres villa ved Rivieraen. På den anden side havde de været nervøse for at efterlade deres eneste barn alene tilbage i den fornemme lejlighed i det fine kvarter. Med en pålidelig svigersøn på stedet var det en helt anden sag. Man annoncerede brylluppet, og Gylfi ringede hjem. Hans mor var ikke det mindste rørt, da hun hørte, hvad der var under opsejling, nærmere tværtimod. Sagde tørt, at hun havde håbet på noget andet, end at han giftede sig med en fransk pige. Hun ville også gerne have lært hende bedre at kende, han burde have taget hende med hjem på besøg, inden han tog så stort et skridt. Men selvom Gylfis forældre aldrig havde forventet, at han ville overtage driften af deres virksomheder, de vidste, at hans interesser gik i retning af digtekunsten, havde de dog altid håbet, at han ville være i nærheden af dem, når de blev gamle. Gylfis far havde brækket ryggen i en kamp med nogle hingste, havde været sengeliggende længe og kunne ikke komme til brylluppet, men hans mor gik med til at komme. Selve brylluppet var beskedent, men festen var overdådig, og gæsterne mødte talstærkt op. Med sin indtagende opførsel prøvede Nanna, så godt hun kunne, at nærme sig sin svigermor, men havde kun ringe succes. Det samme kunne man sige om hendes forældre og slægtninge, uanset hvordan de så end forsøgte at bryde isen, og det var lige før, de var bange for denne høje, kraftige og lyshårede kvinde, som med sin iskolde ro udtrykte, at hun ikke syntes, der var meget ved al den overdådige luksus. Nanna lod sig dog ikke gå på af sin svigermors opførsel. Jeg gifter mig ikke med hende, men med dig, sagde hun til Gylfi. Den fornemme syvværelses lejlighed blev så deres, og derudover beholdt de både tjenestepigen og den udenlandske au pair-pige, som begge boede oppe på kvisten. Gylfis arbejdsværelse vendte ud mod den stille have bag huset, så han kunne se magnoliatræerne blomstre og betragte Eiffeltårnet i det fjerne, mens han arbejdede. Samtidig med at hans computer blev fyldt med fortællinger, skuespil og digte, skovlede Nanna penge ind og øgede konstant sin aktivitet i finansverdenen. De koncentrerede sig om hver deres, og når hun kom hjem om aftenen, spiste de et let måltid sammen, hvis der ikke var andet planlagt, hun fortalte ham, hvordan omsætningen havde været i løbet af dagen, og han læste højt for hende af sine tekster. De kunne beundre hinanden i det uendelige. Ofte takkede de skaberen for at have været så nådig at føre dem sammen. Et mere harmonisk par skulle man lede længe efter, de vidste det selv, og alle, som omgikkes dem, mærkede det.

9

Birkeskoven er gået grassat.

Den har fundet den bedste jord til sine rødder og læ for nordenvinden, den er fri for kreaturerne og har ikke tøvet et sekund, men har straks bredt sig over de græsbevoksede områder, slugt de tuer, som tidligere formede landskabet. De små krogede træer har ikke kunnet se en eneste ledig plet uden straks at stikke hovedet frem, uanset hvor de er vokset op og har bredt sig, opslugt gangstier og kendingsmærker, Hjálmar er faret vild i skoven med børnene.

De klynker og spørger, om de ikke snart er ved det vandfald, og Hjálmar mumler hele tiden snart, snart. Han ville skyde genvej gennem skoven, han gik den vej som dreng, havde set for sig, hvordan han tog på en sjov og kort skovtur med børnene, men havde ikke gjort sig klart, hvor meget skoven var vokset, han havde aldrig troet, at han nogensinde ville fare vild i en birkeskov. Han ved ikke, i hvilken retning han skal gå.

Himlen er ubestemmelig, skyet, lyset synes at komme fra alle retninger. Han forbander skoven, forbander de folk, som ikke har sørget for at tynde ud i den. Han stopper op, mens han tænker sig om, lægger armene om børnene, de læner sig trætte op ad ham, der er ikke en eneste tue at se, som de kan sætte sig på, mens de puster ud. Hjálmar forsøger at være rolig, taler langsomt og siger, at han simpelthen ikke kan forstå det, ser i alle retninger, vandfaldet burde være der et eller andet sted, om de kan høre noget? De spidser ører, hører kun en bekkasin.

De fortsætter, Hjálmar rydder vejen, skubber buskenes grene væk, de vil gerne ramme ham i øjnene. Ængstelsen gnaver i ham, han går sikkert i ring, han søger desperat efter pejlemærker, beder Gud den almægtige om at hjælpe sig ud af denne vildsomme skov.

Den tanke strejfer ham, at det er den almægtige, som prøver ham, som måske straffer ham for at være selvisk, han bider tænderne sammen, beder mere indtrængende. Hvornår havde han nogensinde forestillet sig, at han skulle kunne fare vild i en lavtvoksende birkeskov? Træerne når kun lige akkurat op over hans hoved, men er alligevel høje nok til, at han ikke kan se hen over dem.

Børnene klager over, at de er tørstige. Han har forsømt at tage noget med at drikke, for slet ikke at tale om noget spiseligt, det skulle jo være en kort tur. Omsider ser de en bar plet, to tuer, som træerne af en eller anden grund er gået udenom. De sætter sig på dem, puster ud. Hans børn sætter sig sammen på den ene tue, stirrer på ham.

Han forsøger at være i godt humør, nå, børnlille, vi er vist bare faret vild i skoven ligesom Hans og Grete, kan I se nogen brødkrummer nogen steder? De ser sig omkring, han kan se på deres ansigtsudtryk, at de enten har glemt eventyret eller aldrig har hørt det.

To hjælpeløse børn på en tue. Må trækkes med deres far, som vader ud i det uvisse med dem, som ikke har megen interesse i at være far, som tror, at tingene altid ordner sig af sig selv, som er en nøjagtig lige så dårlig far som den, han selv havde. Hvad skal der blive af dem, når de bliver ældre? Hvad bliver der af ham selv?

Så kommer han i tanke om bækken. Et eller andet sted så han en bæk glimte, efter at de havde begivet sig af sted. Hvis han kan finde den, vil han være i stand til at se den bakke, hvor han parkerede bilen.

Kan I høre en bæk, der risler? spørger han, og de spidser alle sammen ører, ser op i himlen. Hører kun bekkasinen. Dråber falder på deres ansigt, det begynder at regne. Tag jeres vindjakker på, siger Hjálmar. Han havde dog haft omløb nok i hovedet til at lade dem binde deres vindjakker om livet, inden de drog af sted.

De går efter deres far i regnen. Han ved ikke, hvad de tænker, men han har mistanke om, at de har mistet troen på ham, troen på deres far. Som ikke engang kan føre dem ud af en lavtvoksende birkeskov, men som bare lader dem rende rundt i regnen, de er blevet gennemblødte.

Senere vil de mindes ham, jo, far, han var en berømt kunstner, som alle beundrede, men han havde intet at give os, han skulle altid skynde sig så meget, forsøgte altid at skyde genvej, men hvor vejen førte hen, ved vi ikke, han havde ingenting, ikke engang et hjem, han boede hos sin mor, vi arvede ikke noget efter ham, han døde fattig, ensom og gammel.

Far, siger hans datter, jeg tror, bækken er derovre. Hun har ret, dér er bækken, han er sikkert gået forbi den, så dybt nedsunken var han i sine egne triste tanker.

Bækken viser sig at være temmelig bred. Der er ikke umiddelbart et eneste vadested at se. Hjálmar går frem og tilbage langs bredden, stirrer ned i vandet, vurderer hvor det er lavest. Jeg bærer jer over, én ad gangen, siger han og tilbyder sin søn, fordi han er den yngste, at han kan ride på hans skuldre. Men du ødelægger dine sko, siger sønnen ængsteligt. Han svarer ham ikke, sætter ham op på skuldrene, vader over bækken, sætter ham ned på bredden på den anden side. Drengen siger ingenting, da han sætter ham ned, men ser på sin far med tydelig beundring. Store, stærke far, som redder det hele. Han går over igen, får fat i datteren og er ved at bære hende over bækken, da han tager beslutningen om, at hans børn skal mindes ham med respekt, når han er død.

Regnen slår mod kirkeruderne.

Dens kompositioner bliver dog overdøvet af Boccherinis sonater, som klinger ud i kirkerummet. En enkelt gang imellem kan man dog høre den mellem satserne, udtryksløs, monoton. Sommerregn, som ingen havde forventet, de fleste af koncertgæsterne har ikke overtøj med, kaster derfor af og til et blik på vinduerne i håb om, at det snarest vil klare op.

Luften er varm, men Finnur forventede byger. Erfaringen har lært ham at forvente alt det uventede, den sandfarvede sommerparaply ligger ved siden af ham. Han havde den også med sig til sommerkoncerten i Tyskland, der var han også forberedt på alt, og koncerten blev også holdt under åben himmel. Der faldt dog ikke en eneste dråbe. Derimod havde han mødt en komponist, som sagde, at han havde prøvet at efterligne lyden af regnen i sin elektroniske musik. En fin fyr, som det var sjovt at tale med, men hans musik havde Finnur ingen særlig lyst at lytte til. Og det havde der heller ikke været mulighed for denne gang, heldigvis.

Med lukkede øjne kan han bedre identificere toner fra bratschen. Han kan høre, at de har en særlig karakter, savner det, at han ikke kan tale med nogen om det efter opførelsen, jeg er altid alene til de her koncerter, tænker han en anelse bittert.

Det ville for eksempel have været morsomt at diskutere bratschen med Nanna. Hun ville uden tvivl have haft noget at sige om den. Først ville hun have lyttet til hans mening og erklæret sig delvist enig ved at bøje hovedet en anelse, derefter ville hun have introduceret sine egne synspunkter. Udtrykt dem høfligt, men bestemt og dermed skabt et grundlag for lange samtaler om musikken. Så kommer han i tanke om cd'en, som han købte til hende i Tyskland. Han har stadig ikke givet hende den. Dúi havde sagt, at hun ikke var hjemme, hende og Gylfi var sikkert taget på fisketur. Nanna på fisketur? Det lød jo helt vanvittigt. Og hvorfor skulle Gylfi ikke have inviteret ham med? Mange weekender uden fisketure og så i højsommeren?

Finnur trækker vejret tungt, når han tænker på sin nevøs opførsel. Det havde længe været en uskreven regel, at de tog på fisketur de fleste weekender om sommeren. Af samme grund planlagde han og Hjálmar aldrig nogen rejser til udlandet på den tid af året. Selvom de en gang imellem var nødt til at tage af sted, ligesom han nu selv havde gjort det, fordi Gylfi skulle ud at rejse, og der dermed ikke var udsigt til nogen fisketur dén weekend. Og da han stadig ikke havde hørt fra Gylfi, havde han bare besluttet sig for at tage til sommerkoncert på landet. Og Hjálmar havde så bestemt sig for at tage børnene med en tur ud af byen, lige så forbløffet over Gylfi, som han selv var. Men selvfølgelig skulle de bare have presset ham, spurgt, om de ikke snart skulle ud at fiske. Skulle bare have stået fast på deres. Det var faktisk mærkeligt, hvor svært det faldt dem begge at presse Gylfi.

Det giver et sæt i ham, da der indtræder et øjebliks stilhed efter anden sats, og han bliver revet ud af sine tanker. Et kort øjeblik kan han høre regnen. Som er blevet blidere, ligesom han havde forventet.

Så kommer han til at tænke på den lette sommerregn og bliver endnu mere nedtrykt. Det er lystfiskerens drømmevejr, han befinder sig ikke det rigtige sted.

Han rømmer sig, sætter sig bedre op i sædet. Han ved, at det ikke kan nytte at blive grebet af selvmedlidenhed, han er nødt til at koncentrere sig om musikken. Lukker øjnene igen.

Musikken bærer ham over hav og fjeld, ind i skovbevoksede dale, hvor folk spiller på strengeinstrumenter foran en lille landlig kro. Fire smukke, unge mennesker, to på violin, en på cello og – en kvinde på bratsch. Med et spinkelt og fint ansigt og smukt hår. Hvor var hun mon nu? Han kalder endnu en gang billedet af hende frem i tankerne, ser den slanke arm, som holder buen. Hendes ansigt og hår dukker op, han forsøger at se hende i øjnene, men hun ser ned på instrumentet.

Så hører han en falsk tone blive slået an. Hører den tydeligt, spærrer øjnene op, hans blik flakker hen over dem, der sidder tættest på ham. Der er ingen reaktioner at spore, de har ikke hørt noget. Han smiler for sig selv, måske har noderne i hæftet været utydelige, en lille ekstra streg på et uheldigt sted kan gøre udslaget.

Men samtidig med at Finnur ser nodehæftet for sig, komponistens anvisninger til musikeren, ser han for sig en anden type tegn. Cifre. Ejerens anvisninger til revisoren.

Der ser han en forkert node. Han har ikke set den før. Han bliver rådvild, griber automatisk ud efter paraplyen, der ligger ved siden af ham, han synes, han bør gå, han bliver urolig, men selvfølgelig kan han ikke rejse sig op midt under en koncert. Han vrider paraplyen med begge hænder, som om han er ved at vride en klud op. Hans bevægelser forstyrrer kvinden, som sidder ved siden af ham. Hun ser koldt på ham. Han holder op med at fingerere ved paraplyen, stirrer lamslået frem for sig.

Caféerne dufter i regnen.

De er fyldt med folk, og uden for driver turister med mangefarvede paraplyer rundt og venter på, at der kommer nogen ud, så de selv kan gå ind.

For anden gang skynder Ingdís sig ind på en af dem og spejder hastigt ud over grupperne af gæster i håb om at se nogen, som hun kender og kan sætte sig hos. Når hun for en gangs skyld ikke skal bruge weekenden på at underholde børnebørnene, ved hun ikke, hvad hun skal finde på. Hun dødkeder sig og har desuden en følelse af dårlig samvittighed, som hun ikke kan definere.

Hun klarer op, da hun får øje på Dúi. Tjeneren er i færd med at bringe ham en kop kaffe. Dúi virker distræt og ser ikke ud til at være i specielt godt humør, men hun beslutter sig for ikke at lade sig gå på af det, hun længes efter selskab. Hun smiler til Dúi og vinker muntert til ham, går direkte over til hans bord, sikke et regnvejr, siger hun, vikler sig ud af det våde overtøj, spørger, om hun ikke må slå sig ned hos ham, venter ikke på svar, men giver tjeneren tegn til, at hun gerne vil bestille. Dúis ansigtsudtryk er uudgrundeligt, men Olli, som har siddet ved hans fødder, tager imod hende som en gammel ven.

Hun kæler for hunden, roser den for dens skønhed. Dúi liver op. Som hun havde tænkt, han ville.

De spørger hinanden, hvordan det går, og hvad der er af nyt, hun siger, at hun lige var i en butik i nærheden og pludselig havde fået sådan en lyst til kaffe, han siger, at han bare ville tage en kop kaffe, inden han skulle på arbejde. Han har også været ude at shoppe, har købt en fiskestang og lidt forskelligt andet.

Hun kan ikke opfatte det anderledes, end at han praler med, hvor virkelysten han er, spørger, hvem han skal ud at fiske med. Dúi mister mælet, men siger så, at han regner med at tage af sted med Finnur og Hjálmar. Bryder sig ikke om at nævne sin chef som potentiel lystfiskerkammerat.

Ingdís hæver øjenbrynene, siger, at Hjálmar netop har brokket sig over, at han ikke kunne komme ud at fiske, der var et eller andet bøvl med Gylfi, som om han ikke ville have dem med ud at fiske? Dúi siger, at det ved han ikke rigtig noget om og rører tankefuldt i sin kop. Han er så tankefuld, at Ingdís bestemmer sig for, at hun hellere vil have et glas hvidvin end en kop kaffe. Hun er forsigtig i samtaler, passer på at holde sig til at tale om vejret og lystfiskeriet, spørger ham så, som efter en pludselig indskydelse, om han ved, hvorfor Nanna og Gylfi ikke har taget dem, drengene, med? Hun vidste, at Hjálmar havde været lidt irriteret over det, det var det eneste, han havde lyst til at lave i sin fritid, og det var jo ikke fordi, han havde fri særlig tit, ikke oftere end andre berømte mennesker, hvis det endelig skulle være.

Dúi grubler lidt over det, siger, at måske Gylfi og Nanna bare har villet være lidt i fred? Ingdís afviser fuldstændig den forklaring. For det første interesserer Nanna sig overhovedet ikke for at fiske, og for det andet har hun ofte sagt, at hun ikke vil forlade sin have om sommeren. Dúi nikker samtykkende, men ser alligevel tankefuld ud, siger så, at hun måske har syntes, det var svært at arbejde i haven med den udenlandske fotograf så tæt på, det ville han selv synes.

Ingdís får sin vin galt i halsen, udlændingen, siger du, vil du fortælle mig, at udlændingen er hjemme hos dem? Ja, han er flyttet ind i kælderen, svarer Dúi alvorligt. Ingdís kan ikke skjule sin forargelse. De har udlændingen, den mandschauvinist, boende i deres kælder? Ja, ja, siger Dúi, fornøjet med hendes reaktion, han fortalte mig selv, at Gylfi havde tilbudt ham at bo der. Men sikkert uden Nannas vidende, og så er det hende, der skal have manden hængende over sig, eller måske glor han på hende ud ad kældervinduet.

De ser på hinanden uden at sige et ord, Ingdís trækker overlæben op for at vise sin modvilje. Så siger Dúi: Han sparkede til Olli.

Ingdís trækker vejret dybt med åben mund, så bøjer hun hovedet, som folk gør, når de mener at have opdaget sandheden, lægger hånden på brystet. Lige præcis, siger hun, det er præcis, som jeg tænkte. Han er som sagt muslim. Jeg vidste det, selvom han ikke ville tale om, hvilken tro han bekender sig til. De kan ikke udstå hunde. De kaster deres sko efter hunde, og hvis de kaster deres sko efter mennesker, er det for at tilkendegive, at de ikke respekterer dem mere end hunde. Og ved du hvad. Jeg ville bare passe godt på Olli, hvis jeg var dig. Desuden undertrykker de kvinder, derfor tager de ikke billeder af dem, stener dem, hvis de gør noget forkert. Og så har jeg hørt, at de dræber homoseksuelle. Det er jo noget, alle ved. Men de er vist nok gode ved deres børn.

Så kommer hun i tanke om, at hun selvfølgelig ved meget mere, hun er jo en kvinde, der er velbevandret i verdens religioner, rømmer sig og siger, men naturligvis findes der gode muslimer i lige så høj grad, som der findes gode kristne, og der er en verden til forskel på muslimer og fanatiske muslimer, jeg fortalte dig bare om det, som folk går og siger.

Ordene stod dog tilbage, som de altid gør, når det er lykkedes folk at fremføre deres holdninger.

I sin glæde over, hvor godt det viste sig, at dagen var faldet ud, hvad angik selskab og samtale, øser Ingdís af sin viden om forskellige af verdens religioner, mens hun hurtigt nipper til sin vin og særligt henleder tilhørerens opmærksomhed på islam med henvisninger til skriftsteder i Koranen, hvoraf hun kan visse næsten udenad.

Dúi lytter forbløffet. Han får ikke mulighed for at stille ét eneste spørgsmål. Omsider runder hun af med at sukke og med belærende stemme at sige, men du skal altså gøre dig klart, at der er langt imellem yderligtgående muslimer og almindelige muslimer.

Al denne oplysende information er gået ind ad Dúis ene øre og ud ad det andet. Han har kun haft ét eneste ord i hovedet, mens hun talte. Han spørger hastigt, om hun synes, han er feminin.

Ingdís bliver forfjamsket, hun havde forventet, at han ville reagere på og beundre hende for hendes viden, hun havde ikke regnet med, at hendes tilhører ville stille egocentriske spørgsmål, som desuden ikke hang sammen med hendes belærende fremstilling, så hun svarer, ja, det er du faktisk. Ser rædslen i hans øjne, forsøger at mildne sine ord, grubler filosofisk, ja, du er sådan en type, som man ofte forbinder med en følsom digter eller komponist.

Til slut bryder vinen tavsheden.

De er begge udmattede og nedtrykte efter balladen uden for bygningen. Hjálmar har ikke sagt et ord, siden de satte sig til bords, har ikke engang rost sin mors mad, som han ellers ofte gør, når hun har lavet noget rigtig vellykket.

Den diskussion, han havde udenfor med Ása, kører stadig rundt i hovedet på ham. Han fortryder, at han lod følelserne løbe af med sig. Det ville være gået bedre, hvis han havde været rolig, havde holdt hovedet koldt og talt fornuftigt. Han, som kunne spille alle følelser eller være fuldstændig følelseskold foran det nådesløse kamera, kunne ikke kontrollere sine egne følelser i virkeligheden. Det var børnene, som havde magt over hans følelser. Han blev klar over det, da han stod foran deres mor og råbte af fuld hals, rystende af arrigskab. Hun kunne ikke have gjort ham så ophidset, hvis børnene ikke havde været der og lyttet til dem. Ása var nederdrægtig, syntes han. Først beslutter hun sig for at lade ham have børnene, selvom det ikke er hans weekend, fordi det passede hende; så vil hun tage dem alligevel, fordi hun uventet var blevet indbudt til en grillfest, hvor alle skulle have deres børn med, og så passede det hende at have sine børn med også. Som om de var legetøjsbamser, alle skal have deres bamser med i børnehaven i dag, og derfor skal jeg have min med.

Han var ved at hjælpe børnene ud af firehjulstrækkeren, da Ása kom drønende i sin lille bil og sagde, at hun ville tage børnene. Da de så hende, begyndte de straks at lade munden løbe og fortalte hende om, at de var faret vild i skoven og om, hvordan deres far havde båret dem over bækken. Ása havde fået et hårdt udtryk i ansigtet. Hun beordrede dem med afmålt stemme, og uden at se på ham, til at sætte sig ind i bilen, de skulle til grillfest. Så var han trådt frem. Det her var ikke retfærdigt, han ville selv have grillet sammen med børnene. Sagde, at hun havde lovet, at han kunne have dem indtil middag på søndag, faktisk havde hun bedt ham om at tage dem, hvis han huskede ret.

Han havde endda overvejet at købe noget godt at grille og tage det med over til Nanna, aftensolen var begyndt at titte frem efter bygerne, og børnene syntes, det var så sjovt at være ovre hos hende. Hun ville sikkert ikke have haft noget imod at få selskab, især ikke hvis Gylfi ikke var hjemme.

Ása havde hvæst af ham. Sagde, at han fandeme aldrig tænkte på andre end sig selv og sin egen karriere. Som om hans karriere havde noget med sagen at gøre. Han havde været nødt til at forsvare sig, fordi børnene var til stede. Ellers havde han ikke gidet lytte til hende, ville bare været gået indenfor og have smækket døren i hovedet på hende. Han havde ingen følelser for den kvinde længere, fattede ikke, hvad han i sin tid havde set i hende. Havde bare været et fjols, som lod sig forblænde af hendes smukke ydre, rundt på gulvet af begær, behøvede bare at stå i nærheden af hende, så var hele hans indre i oprør. Engang havde han hørt om en mand, der elskede en kvindes bryster mere, end han elskede den kvinde, hvis bryster det var. Måske var det også sådan, det var gået for ham, i hvert fald til at begynde med.

Han fortrød, at han havde ladet sig hidse sig op af hende ude på fortovet, foran børnene. Og da de gik fra hinanden, havde de endda lavet en aftale om, at de ville være høflige over for hinanden, ja, helst venlige og imødekommende, når børnene var til stede. Men nu var det gået helt grassat, fordi han ikke havde reageret, som han plejede, når hun tog sin forurettede mine på. Som generelt udtrykte en moralisering over hans opdragelsesmetoder og mangel på tid. Vanen tro burde han have udvist ydmyghed, når hun irettesatte ham og bebrejdede ham for at have gjort det ene med børnene og ikke det andet, som hun syntes bedre om, og som hun anså for at være mere udviklende for "mine børn". Det var altid hendes børn, når hun talte med ham om dem, især hvis han forinden havde været meget i rampelyset. Han burde have nikket og erkendt, at han kunne have gjort det bedre, men det gjorde han ikke. Noget havde ændret sig i hans indre, der var opstået en følelse i ham, da han bar sine børn over bækken. Ydre omstændigheder ændrer én indeni. Han vil ikke affinde sig med altid at komme til kort som forælder. Det er et angreb på hans ære. Det er hans børn, hans arvinger. Han vil slås for sin ret, deres ret, sin værdighed, han ved bare ikke med hvilke våben.

De havde skændtes så det bragede ude på fortovet, lige indtil hans mor kom ud på altanen og sagde, at de skulle dæmpe sig ned, hele gaden kunne høre dem. De havde skændtes om, hvem af dem der var den bedste forælder, som om det var noget at stå og diskutere, fandens også. Børnene havde lyttet bedrøvet til dem.

Han putter tavst kødstykkerne i munden, og Ingdís prøver alt, hvad hun kan på at komme i tanke om noget, der kan vække hans interesse, trække ham op af det hul, som hun ser, at han har tænkt sig at kravle ned i. Hun kender hans reaktioner, sådan sad han tidligere, når hans far væltede ind ad døren, fuld og aggressiv. Så kiggede han paralyseret ned i sin tallerken, forsvandt så ned i et usynligt hul, som en ræveunge, der bliver jagtet af en jæger. Det tog hende tit mange dage at hive ham op af hullet igen. Siden fulgte mange ugers terapi, som bestod i at genopbygge hans selvtillid, opmuntre ham, opregne hans fortrin, rose ham. Det havde også båret frugt, han var blevet en eftertragtet filmskuespiller, kunne blive verdensberømt, hvis han spillede sine kort rigtigt, det var hun sikker på. Det var trist, at han var så skødesløs, når det kom til penge. Og alt, hvad hans halvbror rørte ved, blev derimod til guld.

Så begynder hun at tænke på Gylfi og Nannas hus. Hun kunne måske aflede Hjálmars tanker ved at fortælle om det. Hun tømmer sit glas i ét drag og siger så, mens hun prøver at lyde så naturlig som muligt, at hun for resten stødte på Dúi i dag. Hjálmar virker ikke særlig interesseret i den nyhed. Ja, siger hun og slår lidt med nakken, og han snakkede om, hvor svært det må være for Nanna at have ham den udenlandske fotograf boende i kælderen, hvor han kan overbeglo hende, mens hun arbejder i haven.

Fotografen i kælderen? gentager Hjálmar, stirrer på sin mor, som om hun ikke er rigtig klog.

Hun siger stilfærdigt, mens hun i tankerne takker vinen for dens aldrig svigtende indvirkning, at Gylfi vist havde givet ham lov til at være der. Men den mørklødede udlænding var med al sandsynlighed en religiøs fundamentalist, som sparkede til hunde, han havde sparket til Olli, men de mennesker har naturligvis deres skikke, de havde ikke alle sammen hundene oppe hos sig i sengen som visse mennesker, og fordi hun nævner en seng, begynder hendes tanker automatisk at vandre og beskæftige sig med forholdet mellem mænd og kvinder, og i forlængelse af disse refleksioner er hun nødt til at tale om undertrykkelsen af kvinder, filosoferer ivrigt over den, lader munden løbe i det uendelige.

Hendes søn stirrer på sit vinglas, mens hun får luft.

Da hun ikke får nogen reaktion, fatter hun sig, indser, at hun måske har tilladt sig selv at blive lige lovlig følelsesladet, smiler undskyldende og vil skænke dem begge mere vin.

Så farer han op fra bordet, hun når kun lige at se ham forsvinde.

Det er ikke, før hun hører en dør smække, at det går op for hende, at han er gået. Bare styrtet af sted. Spiste ikke engang sin mad op, den lækre indiske gryderet, som hun ville have glædet ham og børnene med, når de kom hjem fra deres tur på landet.

Det er ikke vinen, som tænder op under hans raseri, ikke vinden, som bærer ham fremad, den driver misfornøjet rundt oppe i de øvre luftlag, det er hverken vinen eller vinden, han har nærmere bange anelser eller mærker den uro, der ofte griber dyr lige før et vulkanudbrud, han har det, som om han skal skynde sig, helst løbe. Han prøver dog at bilde sig selv ind, at han er nødt til at komme af med spændingen, som sidder i mellemgulvet på grund af det kaotiske optrin med Ása og børnene. Bange anelser hører ikke hjemme i et rationelt menneskes verden, medmindre vedkommende er hysterisk, alligevel begynder han at gå i retning af Gylfi og Nannas hus.

Opklaringen, som havde ladet solen komme frem sidst på dagen, varede ikke længe, han er våd, da han kommer hen til deres hus.

Det udstråler tomhed.

Men han er holdt op med at tænke, med at spekulere over, hvad han skal gøre, viljen til at handle har taget styringen, han vil sikre sig, at Nanna er i god behold, at der ikke er nogen udlænding, der har forulempet hende, og længere tænker han ikke.

Da ingen svarer, idet han ringer på, bliver han et kort øjeblik befippet, han stikker hænderne i lommen, ser ned på sine fødder, usikker på, hvad hans næste skridt skal være. Så slår en ny tanke ned i ham, han bliver så perpleks, at han river hånden op af lommen, griber stramt fat om sin kæbe. Kunne det måske forholde sig sådan, at de to er derinde, Nanna og udlændingen, men uden at gøre sig bemærket? At tænke sig, at han har nået at charmere hende, den satan, det er jo ikke udseendet, han mangler. Hjálmar fisker sin telefon op af lommen, ringer ind i huset. Hører telefonen indenfor ringe igen og igen, de tager heller ikke telefonen, tænker han. Han føler sig apatisk, næsten hjælpeløs, som om hele verden har rottet sig sammen mod ham, så er der en lille nervestreng i hans indre, der skriger af smerte, og inden han ved af det, står han uden for soveværelsesvinduerne. Denne gang er gardinerne trukket for. Han går hen langs med huset, kaster et hurtigt blik på den forladte, regnvåde solterrasse, går direkte hen til kælderdøren. Dér banker han på, til det gør ondt i knoerne. Rykker hårdt i håndtaget. Kigger ind ad vinduet, ser ingen.

Han er blevet forpustet alene af den voldsomme sindsbevægelse, traver rundt om huset, ser til sin lettelse, at vinduet ind til vaskerummet står på klem. Uden at spekulere over årsagen til eller konsekvenserne af sine handlinger, klemmer han sig med møje og besvær ind gennem vinduet.

Han bliver mødt af stilhed, da han træder ud af vaskerummet, men han lader sig ikke narre, går direkte ind i soveværelset, river døren op. Sengen er redt, der er ikke en sjæl i værelset, men han træder indenfor, går også ind i garderobeværelset, skubber til tøjet, der hænger på stangen for at forvisse sig om, at de ikke har gemt sig, da de hørte ham komme ind. Går en hurtig runde i huset, fra ét værelset til det næste, står foran Nannas skrivebord, da han er nødt til at se i øjnene, at huset er tomt. Så kommer han til sig selv.

Han bliver overvældet af en følelse af mismod, han står og stirrer på de ting, Nanna har stående på hylderne og på sit skrivebord. Der er mange mærkelige ting, hun samler på alt muligt. Han får øje på mappen, som ligger ved siden af computeren, kan ikke lade være med at åbne den. Den er fyldt med tekster, oversættelser, som der er blevet streget i hist og her, og printede billeder af insekter, planter, småting, som ikke i sig selv har nogen funktion, de er bare farverige. Han kigger billederne igennem, mens han forsøger at komme sig, få sin vejrtrækning til at falde til ro, og det giver et voldsomt sæt i ham, da han ser et billede af sig selv. Et billede trykt i stort format. Han stirrer på billedet af sig selv, et nærbillede af ham siddende ved bordet hos Nanna, han kan huske, at hun tog billedet, han har et drilsk udtryk i ansigtet, det blik, han sender fotografen, er hedt.

Hjálmar forsvinder for en stund ind i sig selv.

Så ringer det på døren.

Han bliver ikke nervøs, lægger billedet på plads igen, går langsomt hen til døren, som om han og huset har fået lov at blive gamle sammen, som om han har boet der længe. I hans hoved er der billeder af to kvinder, begge taget den samme dag. De vækker forskellige følelser i ham.

Billedet af den tredje kvinde står udenfor på fortovet. Hans mor i sine tøfler og med en rød paraply, der er et ængsteligt udtryk i hendes ansigt. Hvad laver du her, Hjálmar? hvisker hun.

De går hjem sammen under hendes paraply, ingen af dem mæler et ord.

Søndag morgen er hellig.

Så sover byen ud efter weekendens fester, og fuglene muntrer sig i stilheden, synger duetter for Finnur, som har alle vinduer åbne, så han bedre kan høre opførelsen.

Han tilbereder altid søndagsmorgenmaden omhyggeligt, køber oste og marmelade i en specialforretning dagen inden, bruger det pæne service, lægger en stofserviet over rundstykkerne, så de holder sig lune, placerer sig sådan, at han har front mod solen og kan se fuglelivet i den lille baghave. Han bliver aldrig forstyrret af sin nevø så tidligt på morgenen en søndag, generelt bliver han ikke forstyrret af nogen overhovedet, han regner ikke engang med, at det kan ske, mener ikke, at det forstyrrer, hvis han lukker Olli ud et øjeblik, så den kan få klaret sine morgenærinder.

Han smører sit brød med omhu, kaster samtidig et blik på overskrifterne i avisen, som ligger til venstre for ham, glæder sig til at læse den, ved derfor knap nok, hvordan han skal reagere, da Dúi kommer trampende ind i køkkenet i underbukser og flår køleskabet op. Han kigger tavst på, mens hans nevø hælder sodavand i sig fra en toliters flaske. Da Dúi synes at have fået nok, kigger han nervøst over på sin morbror. Så ryger det ud af Finnur, utvivlsomt fordi han af flere forskellige grunde bare har fået nok, hvorfor sover du ikke i nattøj, knægt?

Det irriterer Finnur, når folk forsømmer deres påklædning eller ikke bekymrer sig om, hvad der er passende at have på ved bestemte lejligheder, og alligevel får han ondt af sin nevø, da han ser fortvivlelsen i hans øjne, spørger betænksomt, hvad der plager ham. Dúi kan ikke modstå hans tilkendegivelse af sympati, og han har også tømmermænd og har derfor mistet selvtilliden, så han sætter sig ned over for sin morbror med sodavandsflasken i hånden, og efter at have gnedet sig hårdt over panden og nakken, kigget ned i gulvet og rystet opgivende på hovedet, fortæller han om sine genvordigheder. Redegør stakåndet for sin kamp med fotografen i kælderen.

Finnur lytter til ham, giver ham lov til at tale ud, men tager så fat i detaljerne, vil høre om de eventuelle grunde til hans handling og vil have en beskrivelse af hændelsesforløbet i kronologisk rækkefølge. Han byder dig indenfor, så du kan se nogle af hans billeder, han stryger dig over ryggen, han vil ikke have Olli ind, sparker til ham, du tager en gammel paraply og slår ham, vis mig, hvordan han strøg dig over ryggen.

Dúi er nødt til at vise Finnur, hvordan de stod, han og fotografen, da den omtalte berøring fandt sted, viser ham det nogle gange, Finnur ser tænksomt frem for sig. Siger, at man er nødt til at anskue det at berøre en anden ud fra en kulturel synsvinkel, det er meget tænkeligt, at gensidige berøringer blandt mænd er mere almindelige i lande, hvor kvinder ikke må vise deres ansigter, det er naturligt for mennesker at røre ved hinanden, og hvis mændene ikke må røre ved kvinderne, undtagen når de er hjemme hos sig selv, kunne man forestille sig, at de uforvarende rørte ved hinanden, uden at han dog skal kunne gøre sig klog på den nærmere forbindelse mellem kønnene i sydlandske og mellemøstlige samfund. Men vis mig præcist, hvordan han sparkede til Olli.

De bruger døren, der vender ud til baghaven, til at genskabe situationen, Dúi er nødt til mange gange at vise ham, hvordan fotografen sparkede til Olli med det yderste af foden, hvorefter han smækkede døren i hovedet på hunden. Finnur er tankefuld, tvivler ikke på, hvad hans nevø fortæller, men siger, at han engang har hørt, at holdningen til hunde i de omtalte lande er en anden end herhjemme. De, der bor dernede, ser ikke en hund som et kæledyr, men som et dyr, som man bør holde uden for huset. Ikke en stort anderledes opfattelse end den, man havde på landet, da han selv var dreng, hunden kom aldrig ind i køkkenet. Han har også hørt, uden at han dog tør bekræfte det, at man dernede ser ned på hunde, og at det anses for harmløst at kaste sine sko efter dem. Men hvordan kunne det dog falde dig ind at bruge vold, knægt?

Dér rammer han et ømt punkt hos Dúi, det kan eller vil Dúi ikke forklare, ryster bare afmægtigt på hovedet. Finnur ser fast på ham, tager fat om hans skulder, tvinger ham til at se op og møde hans blik. Gentager hændelsesforløbet og siger, du slår ham med en gammel paraply, smider den fra dig, løber ud, ved ikke, om han har fået et slag i hovedet, da du bankede ham, eller måske er røget ind i væggen, eller i hvilken tilstand du efterlod manden? Se at få et par bukser på, knægt.

Det er, som om Olli forstår sagens alvor, han har ikke gjort meget væsen af sig, siden han blev lukket ud i baghaven tidligere på morgenen.

Han kryber sammen i trækvognen, som om han fryser, selvom temperaturen ligger over middel denne søndag morgen. Dúi trækker vognen, Finnur går alvorlig ved hans side. Gaden sover, de møder ikke et eneste menneske, to katte krydser deres vej, men Olli synes ikke, at det er ulejligheden værd at gø ad dem.

Dúi tøver, da de kommer hen til den tomme indkørsel hos Gylfi og Nanna, men Finnur skubber ham fremad uden at fortrække en mine. Olli gør ingen tegn til at ville ud i Nannas have, sidder som limet til trækvognen, lader som om han blunder. Dúi er bleg som et lig. Finnur går hen til kælderdøren, banker høfligt på nogle gange. Tager fat i dørhåndtaget, døren er låst indefra. Han kigger ind ad vinduet, som vender ud mod haven, ser sovesofaen og bordet, der står foran den, alt virker stille og roligt, men entréen, hvor optrinnet fandt sted, kan ikke ses fra vinduet.

Han spørger Dúi, om der er nogen, der har set, da han kom den omtalte dag, men Dúi siger, at det tror han ikke. Så spørger Finnur, om fotografen har været i bil, men Dúi siger, at det tror han ikke, der havde ikke været nogen bil i indkørslen, men at han jo i princippet har kunnet parkere et andet sted i gaden. Netop, siger Finnur, ser alvorligt på Dúi, du er nødt til at gøre dig klart, at der er gået nogle dage, og der kan ligge et lig derinde, er du klar til at se det i øjnene?

For Dúi gælder der det samme som for andre mennesker, han har ikke lyst til at møde døden i den form, som hans morbror fremmaner for hans indre blik. Han får det dårligt, lader sig falde om på græsplænen, stirrer op i trækronerne.

Finnur tager et nøgleknippe op af lommen, han har en ekstranøgle til sin nevøs hus, en masternøgle, som passer til alle dørene i huset. Dúi ser undrende på ham, snapper efter vejret, da han åbner kælderdøren og træder indenfor.

Hvis fotografen har ligget bevidstløs eller død i entréen, er han eller liget af ham blevet fjernet. Der er ingen mærker efter kamp på vægge og gulv. Lejligheden er tom. Finnur søger efter tegn på menneskelig færden. Værelset, som på én gang er stue, soveværelse og køkken, er rent og ordentligt, der ligger hverken sengetøj eller tøj fremme, bordet i køkkenet er rent, vasken tør, køleskabet halvtomt. Han kigger ind på det lille toilet, ser hverken tandbørste eller barberskum på den lille glashylde over vasken, manden har samlet sine pakkenelliker sammen, hvor han så end er taget hen. Den gamle paraply er ingen steder at se.

Så får han øje på en bunke papirer ved siden af printeren, der står på det lille arbejdsbord ved sovesofaen. Han har altså ikke forladt landet.

Finnur kan huske, at Nanna engang har haft sine bøger om haveplanter liggende på det bord.

Han bladrer skødesløst igennem papirbunken, han er egentlig ikke specielt interesseret. Billeder af folk, huse, søer, floder, både i havne, nederst i bunken er der billeder af ham selv, af Dúi, Gylfi, Hjálmar, og nederst ligger der et billede, som er stukket ned i en plasticlomme. Det har skullet behandles forsigtigt. Fotografiet er ikke af særlig god kvalitet, den tanke strejfer Finnur, at det er blevet taget med en mobiltelefon.

Han stirrer længe på billedet, tror knap sine egne øjne.

Hvad folk ikke kunne finde på i andres hjem eller på hoteller. Det ville ikke falde dem ind at opføre sig sådan hjemme, måske af den simple grund, at så skulle de rydde op efter sig selv. Skide som svin ud over hele toiletkummen og ikke engang skylle ud efter sig. Hvad var der egentlig galt med folk, boede de stadig i jordhytter?

Det bedste ville være, at hun tog et billede af svineriet med sin mobiltelefon og sendte det til sine forældre, så de sort på hvidt kunne se, ja, så sandelig sort på hvidt, hvor store anstrengelser det krævede af hende at gøre rent på deres hoteller. Og hendes veninder havde bare fine job på restauranter, hvor de serverede stegt fisk med nødder og chardonnay i store, slanke vinglas for udlændinge, som så måbende på dem, lyshårede og sexede som de jo var. De ville også bare sige føj og samtidig føle afsky for hende, hvis hun begyndte at sende dem billeder af toiletkummerne. Ville sikkert bare begynde at grine eller få ondt af hende, hvilket var endnu værre, hun, selveste hotelejerens datter, i sådan et lortejob. Hun, som burde sidde ved et smukt skrivebord og se på Eiffeltårnet, mens hun skrev en roman. Færdig med at studere alle filosofferne, endda også de ældgamle, for at forberede sig på sit livsværk. Der var så meget, hun var nødt til at vide for at blive en god digter. Ligesom Gylfi havde været nødt til at lære sig en masse, inden han mødte Nanna. Han kunne fortælle hende så meget poetisk og filosofisk, når hun om aftenen kom hjem fra finansverdenen. Læste også højt for hende af sine digte eller kapitler fra et skuespil, som han havde skrevet på i løbet af dagen. De var gift og lykkelige.

Hun tager gummihandsker på, ser op i loftet, mens hun skyller svineriet efter hotelgæsterne ud, ja, de var gift og lykkelige, stanken er ved at tage livet af hende, og hvad skulle udviklingen i værket så være, hvad kunne der ske, efter at folk havde fundet kærligheden og var blevet gift? Eller kunne der faktisk ske noget, sank de ikke bare ned i hverdagslivet, ned i den virkelighed, som hun selv befandt sig i nu? Men hun var nødt til at fortsætte fortællingen, var nødt til at fortsætte, ellers kunne hun ikke holde livet ud, hvad skulle der nu ske i hendes fortælling, hvad?

Hun trækker sig væk fra toiletkummen, det overstiger hendes evner at forsvinde ind i en anden verden under disse forhold, hun kan ikke, hendes tanker nægter, de er for optaget af stanken af lort. Så bider hun tænderne sammen, skrubber, desinficerer, indimellem er hun lige ved at besvime, skurer. Står så i døren med gummihandskerne på, skuer ud over sit værk, det skinnende rene badeværelse, tænker for sig selv, at det var nu ikke hvem som helst, som kunne have gjort det. Da hun lukker døren ind til det tidligere så ildelugtende rum, finder hendes tanker tilbage på sporet. Fortsættelsen kommer, den er ganske vist ikke nået så langt, kun et lille stykke, men det er nok til at gøre hende glad igen, nok til at hun får troen på sig selv tilbage.

De højtideligholdt altid den dag, hvor de mødtes første gang. Tog metroen i samme retning som dengang, kørte med helt til endestationen og tilbage igen. De første to år stod de tæt op ad hinanden ved stangen uden at sige et ord, men de senere år var de begyndt at slække lidt på den del, satte sig ned, hvis de fik chancen, og talte om alt mellem himmel og jord.

Hun tager sine gummihandsker af og stiller de forskellige dunke med rengøringsmiddel og rengøringsredskaberne på vognen, som står og venter på hende på gangen, lukker døren til værelset efter sig, trækker vejret dybt, inden hun skubber vognen videre til det næste værelse, håber inderligt, at de, som har overnattet dér, ikke er lige så store svinemikler som de andre.

Så får hun øje på tre mænd henne for enden af gangen, hotelmanageren og to andre, de kommer hen imod hende, men stopper så op, mens de diskuterer et eller andet emne, det lyder, som om de taler om golf. Og det falder hende ind, hun har faktisk haft tanken tidligere, at hun kunne tale med hotelmanageren om muligheden for, at hun fik nogle andre opgaver på hotellet, for eksempel kunne hun anrette morgenmaden eller arbejde i køkkenet, og nu havde hun jo efterhånden også fået god erfaring som stuepige.

Hun bevæger sig forsigtigt hen imod dem, hun vil bare lige høre, om hun kan veksle et ord med ham, når han har tid, nærmer sig dem smilende. De to mænd, der er sammen med hotelmanageren, smukke, unge mænd i dyre jakkesæt, tier, da hun kommer hen til dem. Hotelmanageren tilkaster hende et hurtigt blik, fortsætter dog med at tale med mændene, det ligger ham tydeligvis på sinde at tale færdig, men så afbryder den ene af de unge mænd ham, nikker med hovedet i retning af hende og siger: Hvad laver hende den skævøjede rengøringskone her?

10

Vandfladen i høllet er rolig.

Floden er sart og blid. Gylfi kender hver en klippe, hver en sten, hver eneste af flodens bugtninger, ved, hvor den slår et knæk, ved, hvor fiskene er. Han kan bedst lide at stå ved de øvre høller, tæt ved vandfaldet. Han bruger en lille flue, så han kan følge med i, hvordan de napper, han har tænkt sig at holde laksen i overfladen.

Himlen er overskyet, det støvregner, men det er varmt og stille. Han mærker, da fisken bider på, spændingen vokser i hans bryst, der er intet i verden, der betyder noget ud over denne fisk. Han gætter på, at den vejer omkring atten pund. Erfaringen har lært ham, at man har den største kamp med fiskene om foråret, men denne her har tænkt sig at give ham kamp til stregen. Han glæder sig, og efterhånden som kampen tager til i styrke, får han mere ro i sindet. Kampen visker alt andet ud, han har kun fisken i tankerne.

Han holder stangen vandret og lægger et godt sidepres på fisken, og den bliver hurtigt udmattet.

Vindretningen skifter, på tre kvarter fanger han fire laks, som han sætter ud igen.

Fluesamlingen ligger på bredden. Han lægger fiskestangen fra sig, studerer fluerne nøje, ser en af Finnurs yndlingsfluer, og i samme øjeblik kommer hans ellers nu så rolige sind lidt i oprør, han får dårlig samvittighed over ikke at have ladet drengene komme med. Han stak af vestpå uden at invitere dem. Det var Nanna, som ikke ville have dem med, ikke at hun sagde det direkte, men hun lod forstå, at hun gerne ville en tur hjemmefra og være lidt i fiskerhytten uden at have folk omkring sig. Hvilket ikke lignede hende, hun, som synes, det var så morsomt at have selskab, som altid gerne ville have gæster, og desuden havde hun aldrig interesseret sig specielt meget for fiskerhytten og da slet ikke for at fiske.

Det falder ham ind, at hendes holdningsændring kan have noget at gøre med udlændingen i kælderen. Det har sikkert været en fejltagelse, at han gav fyren lov til at være i kælderen, det var måske ikke det, Nanna havde ønsket. Han kunne ligesom mærke det på hende, hun havde set bister ud, selvom hun ikke sagde noget. Han havde bare gerne villet gøre noget for manden nu, hvor han ikke ville lade sig fotografere ved floden. Måske havde han følt sig skyldig og havde derfor ikke sagt et kvæk, da Nanna sagde, at denne gang ville de bare tage af sted de to. Han ville bevare husfreden, det burde drengene kunne forstå.

Alligevel frygter han for deres næste møde, de vil aldrig tro på, at det var Nanna, som ikke ville have dem med. Hun, som altid var så god ved dem, opvartede dem, når de var på besøg. En gang imellem forstår han ikke Nanna, selvom de har kendt hinanden, siden de var børn. Han har dog svært ved at tro, at hun på denne måde er ved at hævne sig på ham. Det ligner hende ikke. Hun har faktisk ikke sagt noget om, hvor længe hun vil være i fiskerhytten denne gang.

Han savner drengene. Han burde bare have sagt til dem, at Nanna ville gøre hytten ren eller noget i den retning. Det var ikke løgn, hun havde været ved at pusle med soveværelsesvinduerne tidligere på dagen, havde skiftet gardiner, hvis han huskede ret.

Han vælger en flue, spekulerer samtidig på, hvor længe hun mon vil være i fiskerhytten, forsøger så at holde mennesker ude af sine tanker og koncentrere sig om omgivelserne.

Så dukker Nanna op. Han kan se hendes lysegrønne regnjakke i støvregnen.

Da hun kommer nærmere, kan han se, at hun har en termokande i hånden. Han kunne godt tænke sig en kop kaffe, men han håber, at hun ikke vil forstyrre ham ret længe. Hun sætter sig hos ham på bredden, trækker to plastickrus op af lommen og hælder kaffe i dem. Spørger, om han ikke synes, det er rart med en kop kaffe, inden det næste slag skal stå. Han nikker åndsfraværende.

De drikker kaffe i tavshed, hun suger den varme, fugtige damp til sig. Så siger hun, når vi tager tilbage til byen igen, ordner vi det med floden, sætter den i mit navn, så Senna med garanti arver den. Så er hun sikret, hvis det går skævt med hoteldriften.

Hun vil altså tilbage til byen, er det første, han tænker. Han tænker mindre på, om floden skal være hendes særeje, og det er heller ikke på tale, han har andre planer for floden. De drikker kaffen færdig, og hun siger, samtidig med at hun giver ham et smækkys på panden, at hun går op i seng og læser, han må gerne gå stille, når han kommer ind og ikke tænde alt lyset, som han altid gør, og det er jo også stadig lyst om aftenen.

Han brydes med en fisk i mere end en time, efter at hun er gået. Han er alene i floden med fisken og den aftenmilde natur, lykken strømmer gennem hans årer.

Humlebien lander i jacuzzien. Breder fortvivlet vingerne ud, den havde kun set vand, havde bare villet nippe til det og ikke vidst, at det var varmt, hvordan skulle den også kunne vide, at vandet i dette land kan komme kogende op af jorden, den var bare en immigrant ligesom mange andre af dens art, havde ikke opholdt sig længe i landet.

Nanna griber øsen, som hun altid har liggende på kanten af jacuzzien, så hun kan fjerne fluer, som forvilder sig ned i vandet til hende, stiger op af vandet og fisker den våde humlebi op med øsen. Hun vil kaste den ud i græsset sammen med vandet, håber, den kan klare sig i de omgivelser, den kender, men gør en klodset bevægelse og taber den ud af øsen, så humlebien lander på terrassen ved læhegnet. Det rykker i den nogle gange, så ligger den stille. Nanna stiger ned i jacuzzien igen, en anelse slået ud over, hvordan det endte. Hun ser længe på den gule og brune bug, på den lille stakkel, som fra morgen til aften er optaget af at sikre sit udkomme, beslutter sig for at fjerne den senere med en fluesmækker.

Da humlebiens summen er forstummet, kan hun igen høre floden bruse. Gylfi har været nede ved floden siden tidligt om morgenen, han tog hverken madpakke eller sin mobiltelefon med sig, sådan vil han have det. Han kunne for så vidt være faldet død om dernede, uden at hun vidste noget om det. Han er alene ved floden. Som oftest var de nu sammen med ham, hans bror og farbror, eller de var i det mindste et sted i nærheden. Hun begynder at blive urolig, da hun ikke har set ham i nogle timer, men vil ikke forstyrre ham med uventede kaffeserveringer, hun har konstateret, at de ikke gør nogen lykke. Men der kunne vel ikke ske noget ved at snige sig ned til floden uden at gøre sig bemærket, og uden at han lagde mærke til det, og spejde efter ham. Han behøvede ikke at vide, at hun havde været nede for at kigge efter ham. Han ville synes, det var barnligt, hvilket det naturligvis også var, mænd var vant til at være alene ude i naturen her i landet. Hun ville nu alligevel kigge ned til ham, når hun var færdig med at klare de ting indendørs, som hun havde planlagt, hun havde under alle omstændigheder tænkt sig at tage nogle billeder af planter og insekter dernede.

Hun ligger lidt længere i jacuzzien, hviler hovedet på kanten og iagttager de lette skyers leg, som er spredt rundt omkring på den klare himmel, fæstner blikket på én af dem og vil holde grundigt øje med, hvordan den forandrer sig, de ændrer sig altid, når man ser væk, som om det er en æressag for dem at narre folk. Et kort øjeblik forglemmer hun sig, drejer hovedet til venstre og kigger på humlebiens bug oppe ved læhegnet, et øjeblik, og så kigger hun op på skyerne igen, men så har de naturligvis ændret form. Hun giver som altid op, giver vandet skylden for sin uopmærksomhed.

Knap to timer senere kommer hun ud på terrassen med kameraet og tager nogle billeder af humlebiens lille krop. Sætter sig på en stol og er ved at kigge billederne igennem i kameraet, da hun ser, at humlebien rører en lille smule på sig. Hun tror ikke sine egne øjne. Bien er levende efter at have plasket rundt i det niogtredive grader varme vand. Skulle bare lige komme sig. Den bevæger vingerne op og ned, vugger lidt, forbereder sig på at lette, flyver så, lynhurtigt, som om intet er hændt, som om den aldrig har været ude for nogen strabadser.

Nanna sidder længe tankefuld i stolen med kameraet i skødet.

I det græsbevoksede område oven for floden, hvor birk og pil stikker hovederne op hist og her som små alfer, vokser der blåbær og revling i lyngen, og her lever en mængde smådyr, det er en hel verden, som man kun kan lære at kende, hvis man har tålmodighed. Nanna ligger mellem tuerne og fotograferer med zoomlinse. Enkelte gange flytter hun på sig, rykker nærmere floden og det lille strømfald, hvor hun tror, at Gylfi befinder sig, spejder efter ham, hver gang hun rejser sig op. Hun er ved at flytte sig, da hun får øje på reden.

En forladt rede, halvt skjult i en fordybning mellem nogle sten oppe ved en af birkebuskene, i læ for hidsige forårsvinde og skjult for grådige rovfugle. Reden er snedigt indrettet, hun kærtegner den let og forsøger at gætte, hvad det er for en fugl, der har bygget den. Hun ved ikke ret meget om ornitologi, det er hun godt klar over, men hun beundrer redens tidligere beboere for at have skabt så sikkert et skjul til deres unger, et godt hjem.

I det andet hus var reden.

Det var et stort og fornemt træhus med støbt kælder. Hele vejen rundt om huset løb en udskåret svalegang mellem kælderen og stueetagen, den var mere prangende i hjørnerne, hvor den stod ud i en blød bue.

På hjørnet af husets sydside havde et drosselpar bygget rede.

Nanna og Gylfi fulgte nøje med i redebyggeriet og jublede lige så meget som droslerne, da ungerne blev udklækket. Så startede jagten på føde, droslerne fløj konstant frem og tilbage med regnorme i næbbet, de havde deres hyr med ungerne, som aldrig fik nok, så de forsøgte at hjælpe dem så godt, de overhovedet kunne, samlede regnorme i en plastbøtte i haven og nogle gange også hos naboerne, kravlede rundt i alle haver, det var svært at finde ormene, hvis det ikke havde regnet, og for at kunne bringe ungerne orme var de nødt til at få fat i en stige, de var ikke høje nok til at kunne nå derop. Det gik hele dagen med. Den ene kravlede op ad stigen med nogle orme i hånden, og den anden stod nedenfor med bøtten og holdt ved stigen, så skiftedes de til det. Drosselparret syntes ikke at have noget imod at få hjælp med maden, de var bare godt tilfredse med det og ledte selv efter mad, som de plejede.

Til deres store forfærdelse begyndte ungerne pludselig at hoppe ud af reden, vraltede rundt i haven, ude af stand til at flyve. De blev frygtelig bekymret, der var så mange katte på vejen, så de brugte en masse tid på at holde dem væk fra haven, især det sydvendte hjørne, og desuden skulle de redde ungerne og lægge dem tilbage i reden. Det var et stort slid, de måtte passe på altid at fjerne stigen, når de ikke brugte den, så kattene ikke begyndte at udnytte situationen.

En dag, da de kravlede op ad stigen og kiggede ned i reden, var ungerne væk. De var heller ikke at se nogen steder i haven. De blev rædselsslagne, mente, at ungerne måtte være hoppet ud af reden om natten, mens de sov, hvorefter katten havde ædt dem alle. Men så sagde Gylfis mor, at de kunne tage det helt roligt, ungerne var blevet flyvefærdige, nu boede de højt oppe i træerne.

Fluen laver krusninger på vandet.

En lys flue, ny i samlingen, den venlige fluebinder sammenlignede den med et kampfly fra anden verdenskrig, sagde, at han havde store forventninger til den. Han rakte Gylfi den med en stemme, der skælvede af forventning, som om floden også lå og ventede på ham, men den ventede ham kun i de historier, Gylfi fortalte ham, når fisketuren var slut. Han sad i kørestol og kunne ikke komme nogen vegne.

Gylfi er begyndt at kede sig, han havde været i gang hele morgenen, høllet i floden er stadig fuldt af fisk. Det bliver ikke nogen særligt saftige historier, som han kan fortælle fluebinderen, når denne fisketur er ovre. Som sagt syntes den stakkels mand, at det var morsomt at tale med ham om lystfiskeriet. Ventede på ham, kom drønende i kørestolen, når han vidste, at han var tilbage i byen, den gamle dørvogter, tidligere en af de mest fremragende lystfiskere i landet, de kunne svælge i laksens adfærd i timevis. Inden fluebinderen kom ud for en trafikulykke, fiskede han med Gylfi og lærte ham de gode tricks.

De nytter ham ikke noget nu. Han savner indimellem sin gamle fiskekammerat, sommetider savner han også Finnur og Hjálmar, det er en del af sporten at dele sine erfaringer med andre efter en god dag. Man kan ikke tale med Nanna om at fiske. Han prøvede det en enkelt gang, prøvede at forklare den glæde, som man bliver grebet af, når man kan mærke, at man har en ordentlig krabat på krogen. Hun så bare på ham, og sagde så, ved du godt, hvor meget de lider, når de ryster hovedet for at komme fri af krogen? Han forsøgte ikke at udtrykke sig yderligere om sin glæde over at fiske. Hun spiste ikke engang fisken, sagde, at hun havde fået nok af lyserød fisk som barn, hvor hun en sommer skulle spise den dag efter dag, hendes tantes mand havde været lystfisker. Gylfi satte som regel fisken ud igen, slog den kun ihjel, hvis den alligevel var dødsdømt, havde fået krogen så langt ned i halsen, at det blødte ud gennem gællerne.

Lyngen bag ham dufter, hjejlen synger, floden bruser, luften er tindrende klar, han bliver helt bevæget over naturens pragt. Han er taknemmelig for det privilegium, det er at få lov at være alene med den. Alligevel har han det nogle gange, som om han ikke er alene, som om der er nogen, der holder øje med ham, står bag hans ryg, han vender sig tit om, når den følelse kommer over ham. Han får den tanke, at Nanna strejfer om deroppe et sted, kan se ham, men ikke vil forstyrre ham. Han ved, at hun ville ud at se på nogle insekter, ville fotografere dem, hvis hun skulle få øje på en ny art, hun taler nogle gange om nye arter, siger, at der er blevet flere af dem, hun venter på, at myrerne går i land.

Småkravlet kunne måske være grunden til, at hun tog beslutningen om, at de to skulle tage af sted vestpå. De to. Det gjorde hun helt klart. Tilføjede desuden, at hun skulle ud at studere naturen. Lagde vægt på ordet studere. Derfor turde han ikke ringe til Finnur og Hjálmar. Hun vidste dog udmærket, at det her var det tidspunkt, hvor de altid tog af sted sammen, men det var bare hendes tonefald, der hindrede ham i at kontakte dem. Den simple forklaring falder ham ind, at hun ikke har villet have dem med, fordi hun i så fald skulle have besværet med dem, med at lave mad til dem alle. Hvilket naturligvis var en misforståelse fra hendes side. Som om de ikke kunne klare sig selv, det havde de altid gjort. Men det var bare på en eller anden måde sådan, at når Nanna gik i køkkenet, trak andre sig tilbage. Måske vidste hun det godt. Ellers syntes han, når han tænkte nærmere over det, at det med maden var for ubetydelig en ting at gøre et stort nummer ud af.

Han hører et plask fra floden, hans hjerte springer et slag over. I samme øjeblik hører han en raslen i krattet oven for bredden, kaster et hurtigt blik bagud, venter at se Nannas ansigt dukke op. Han har på fornemmelsen, at hun iagttager ham, han ved det, mærker det, føler det i hver eneste nerve i kroppen.

Naturen holder vejret, stilheden er total, så letter en regnspove.

I det øjeblik den flyver op fra krattet, får en ny tanke vinger i hans hoved.

Studere, havde hun sagt, hun ville studere, ikke blive studeret. Havde fotografen i kælderen været i gang med at studere hende? Havde han måske taget billeder af hende, uden at hun vidste det? Hun havde i hvert fald fået et underligt udtryk i ansigtet, da han fortalte hende, at han havde givet fotografen lov til at bo i kælderen. Et nærmest forurettet udtryk, hun samlede sine urtepotter og havebøger sammen uden at sige et ord, han måtte selv finde sengetøj frem til manden. Men han havde syntes, det var helt i orden, faktisk ikke noget problem overhovedet, det viste simpelthen bare, at hun ikke fandt manden tiltrækkende. Hvilket i sig selv var temmelig underligt, hvis han tænkte nøjere efter. Fotografen var en mand, og, hvis man skulle komme ind på dén side af sagen, smuk, ville kvinder sandsynligvis synes. Det er bare ikke faldet ham ind tidligere, det må han indrømme, i hans øjne har han bare været en mørklødet udlænding, en eller anden stakkels fotograf, som han gerne ville gøre en tjeneste.

Gylfi synes, han er nødt til at hvile sig lidt, han trækker linen ind, holder fluen i sin hånd, kampflyet. Den duer ikke. Navnet duer ikke. Laksen er ligeglad med kampflyet. Den vil have noget blødere, mere skønhed.

Nanna ligger på maven på kanten af kløften. Hun kan blive ved med at betragte det klare vand strømme forbi, kan blive ved med at stirre ned i floden, drømme om, at hun selv plasker rundt dernede. Men ved, at floden er for kold.

Hun strækker hovedet frem og ser ned i høllet. Hun ved, at hvert høl har sin art, der kæmper om det bedste sted at stå, konkurrerer om pladsen, magten, respekten. Efter al den megen frihed i havet må det være svært for laksen at leve med den trange plads i floden.

Hun kan se megen bevægelse nede i vandet, og for hende at se er der masser af fisk, hele stimer. Det er, som om de er blevet skræmt af noget, de svømmer meget hurtigt op mod strømmen. Hun forsøger at tage et billede af hændelsen, spekulerer på, om stimen svømmer i retning af Gylfi, han er deroppe et eller andet sted, hun så hans kasket i sin kikkert for et øjeblik siden.

Hun har det bedre, når hun ved, hvor han er. Naturen er uforudsigelig, den tager dem, den har lyst til, når det passer den og altid uden forudgående varsel. Hun beundrer lystfiskerens udholdenhed, at han kan stå på det samme sted i floden i flere timer. Det går over hendes forstand, at man kan være så tålmodig. Hun ville være nødt til at bevæge sig, hun ville bare få ondt i kroppen, hvis hun blev liggende for længe på det samme sted.

Og hun ruller rundt i lyngen, som dufter i solen, smiler til fjeldtoppene, som tegner sig mod himlen i det fjerne, mærker, hvordan ren lykke strømmer gennem hendes krop. Hun lukker uvilkårligt fingrene om lyngen ved siden af sig. Så mærker hun, at der ikke skal megen kraft til for at løsne den fra sin tue, visse steder er det, som om den bare er blevet lagt oven på mulden. Hun har lyst til at rive den op et enkelt sted, se, hvad der bor under den. Det er som at løfte taget af et hus, se en families hjem eller en hel slægt, som spankulerer omkring i al uskyldighed og ikke ved, at der bliver kigget ned på den.

Hun indstiller kameraet, ved, at når man letter på en tue, kan alt, hvad der er under den, hurtigt blive til ét stort rod, så det gælder om at være klar de første sekunder, hvis hun skal have et godt billede.

Samtidig med at hun holder kameraet parat, river hun med et snuptag tuen bort, kigger gennem linsen. Der er ingen bevægelse. Hun kigger over linsen, tror knap sine egne øjne, jorden er ren, der er ikke et eneste kryb at se, hun ser kun tydeligt den smukke brune farve. Hun synes, at hun må kunne mærke jordens hjerteslag, hvis hun lægger sin hånd på den rene, brune muld. Hun lader hånden hvile på den.

Mulden er lun under lyngen.

I hendes hus var muldvarpens køkken.

Der var altid trukket for i alle vinduer. En lugt, som mindede om jord eller alkohol, fyldte køkkenet. Åbne, dampende gryder, stopfyldte med fedt fårekød og roer, stod på det kulsorte komfur, det fedtede vand drev ned ad siderne på dem, ned på kogepladerne og på nogle koste, som stod op ad komfuret. På gulvet ved siden af komfuret stod en jerngryde med kogte kartofler og ventede, kattene stak snuderne i den. Kvinden, som stod med grydeskeen i køkkenet, var tætbygget, stor og grov og med tunge øjenlåg, man kunne ikke se det hvide i hendes øjne. Hun svajede, når hun bevægede sig.

Gylfi turde ikke træde ind over dørtærsklen, kiggede skræmt ned for sig, hviskede til Nanna, da hun trak ham væk, det er ligesom muldvarpens hus, som jeg så i en bog. Hun havde også læst den bog og vidste, hvilket køkken han talte om. Så tog hun ham hurtigt med ind til grossisten, som havde sit kontor derhjemme, han var sådan en god mand, gav alle, som kom til ham, penge, uanset om det var børn eller voksne, var aldrig fuld, og ham ville de opsøge. De manglede penge til balloner.

Men grossisten havde to sønner, som drak brændevin ligesom deres mor, som mindede Gylfi om muldvarpen, den ene boede i kælderen og var altid fuld, den anden boede på etagen over grossisten og drak brændevin i weekenderne. Han var gift med den tante, som tog Nanna til sig. Drengene larmede så meget, at hun ofte flygtede ned til grossisten, hvis hun ville læse lektier eller bare læse i fred. En dag, da hun sad og læste lektier i et hjørne hos grossisten, tog han piben ud af munden og sagde, uden at se op fra sine papirer, at hvis hun havde lyst til at studere en hel masse, når hun blev stor, ville han betale for det hele. Og det løfte holdt han.

De legede mere i haven i det andet hus, Gylfis hus. Nogle gange også inde hos ham, hvis det regnede, men ikke særlig tit, hans mor var så fin på den og smilede aldrig. Engang spurgte hun Nanna, hvem hendes forældre var.

Hun ville gerne have, at Gylfis mor kunne lide hende, og derfor forsøgte hun at forklare, så godt hun kunne, fortalte hende, at hendes mor var død af sygdom, da hun var lille, faktisk lige efter at hun havde fået hende, og siden havde hendes far været nødt til at flytte til udlandet for at arbejde, han var sådan en slags komponist, og hun ville gerne have sagt mere om ham, at han ringede til hende, når hun havde fødselsdag, og når det var jul, men så begyndte hun at stamme og kunne ikke fortælle om det. Pludselig følte hun, at hun ikke var noget værd, fordi hun ingen mor havde og så bare en far, som var rejst. Gylfis mor hævede øjenbrynene i sympati, da hun hørte om tabet af moren, men skød hagen frem og spilede næseborene ud, som om hun lugtede til noget, da Nanna fortalte, at hun boede i grossistens hus.

Efter det syntes hun, det var trist at bo i et hus, hvor der altid var trukket for.

Fiskestangen hviler i lyngen.

Tæt ved den ligger kasketten. Ingen af dem vil flyve langt bort, selvom deres ejer ikke er i nærheden, det er vindstille. Solen dysser landet til ro, det bliver stille som et barn, der sover efter at have grædt og været uroligt, vinden og regnen bliver holdt uden for landets grænser.

Gylfi er urolig. Han synes, det er underligt, at hun ikke er kommet ned til floden for at kigge til ham, hun har været alene i mange timer, har ikke engang vinket til ham på afstand. Måske er hun faldet, mens hun har kravlet rundt i krattet og på skrænterne, folk med kameraer bliver ofte så optaget af at få et godt billede, at de ikke ser sig for.

På vejen op til fiskerhytten går han mange omveje, tjekker de steder, som han ved, at hun kender, og hvor hun kunne tænkes at opholde sig, spejder i alle retninger, men kan ikke se hende nogen steder. Han bliver svedig af at gå, mærker, at han har for meget tøj på, han havde ikke regnet med denne varme, da han gik ud i morges, da hang skyerne lavt, og luften var kølig.

Døren til fiskerhytten står åben, han går rundt på terrassen, ser nogle døde fluer i vandet i jacuzzien, et gult håndklæde, der hænger over en stol ved siden af den. Han går ind, kalder dæmpet på hende, hvis hun nu hviler sig, lister forsigtigt hen til soveværelset, skubber døren op. Nanna er ikke i huset. Han tager sine waders af, vesten og trøjen, han har det frygtelig varmt i undertrøjen. Hun dukker op, siger han til sig selv, men så begynder han igen at tænke på, i hvor høj grad hun understregede, at de skulle tage af sted bare de to denne gang. Syntes hun måske, at han ikke havde plejet deres forhold tilstrækkeligt de sidste måneder, var det dét, hun havde tænkt på, da hun sagde bare de to og ikke det besvær, som fulgte med, når Finnur og Hjálmar også var der? Han havde aldrig syntes, at det var noget besvær at have dem med, de var ude at fiske hele dagen og nogle gange til langt ud på natten. Eller havde han måske ikke gjort det godt som ægtemand på det seneste, var det dét, hun antydede med disse ord, bare de to? De sidste måneder havde der unægtelig også været meget pres på i forbindelse med hoteldriften.

Han går ud igen, spejder i alle retninger, beslutter sig så for at holde op med alle sine overvejelser, de er alligevel ikke til nogen nytte.

Så ser han floden for sig. Hun har måske kravlet rundt nede ved klipperne, er snublet, har mistet fodfæstet, er faldet i floden. Strømmen længere nede ad floden var stærk, kunne nemt rive alt levende med sig. Selvfølgelig kunne hun svømme og var i stand til at klare sig, men ikke hvis hun havde ramt en sten inden og måske havde fået et slag i hovedet.

Han løber i fuld fart ned til floden. Hans hjerte hamrer, han kan mærke dets slag helt op i halsen. Han løber ned mod bredden, som ligger i lige linje fra huset, der stopper han forpustet, kigger op og ned langs floden, kan ikke bestemme sig for, i hvilken retning han skal gå, om han skal fortsætte til fiskeområderne ovenfor eller nedenfor, men noget siger ham, at han skal gå ned langs floden, måske fordi han fornemmede hendes tilstedeværelse dernede, selvom han aldrig så hende.

Flodbredden ændrer sig hele tiden, der er skiftevis kratbevoksede bakker, klipper og små tanger, han styrter hen langs bredden, snubler gang på gang, det suser inde i hans hoved.

Han får øje på hende ude ved kanten af kløften.

Hun ligger på ryggen med lukkede øjne, som om hun er faldet i søvn i solen. Han føler så stor en lettelse, at han næsten bliver helt kraftesløs, er nødt til at lade sig dumpe ned på en tue et øjeblik, inden han går hen til hende.

Da han falder på knæ ved hendes side, åbner hun øjnene og siger, hvorfor tog han mig ikke med?

Det varer et godt stykke tid, før det går op for Gylfi, at hun taler om sin far.

Inden han ved af det, har han indtaget rollen som sjælesørger, der viser medfølelse, trøster og forklarer andres opførsel, som han dog på ingen måde selv forstår. Han er nødt til at gennemgå historien, som den var, hendes far havde fået et bedre arbejde i udlandet, han havde været ung dengang, og unge mænd vil gerne erobre verden, men han havde måske vidst, at han som komponist ville komme til at flakke rundt, og at det ikke ville være godt for et lille barn. Sådan havde det forholdt sig. Men Nanna tager ikke imod fornuft, fremstammer, at hvis han havde været en kvinde, havde han taget hende med, hun havde selv taget Senna med.

Det ved Gylfi, og der bliver et langt ophold i samtalen. Så gør han hende opmærksom på, at hendes far jo faktisk har forsøgt at få kontakt med hende for nogle år siden og har tilbudt hende at komme på besøg, måske skulle hun have taget imod tilbuddet. Han har dog svært ved at forstå, at hun tænker på sin far efter alle disse år. Han ville have fundet det mere naturligt, hvis hun havde været interesseret i ham, hendes ægtemand, som havde været en del af hendes liv i meget længere tid.

Du er min bedste ven, Gylfi, er det ikke rigtigt? spørger hun efter lang tids tavshed. Det er, som om noget trykker hende, hun skal til at sige noget, men så stryger han hende over håret. Hun opgiver.

De ser sig omkring og bliver opmærksomme på omgivelserne, flodens eventyrlige skønhed, den duftende vegetation. Nanna taler om den globale opvarmning, der har fundet sted de seneste år, især på den nordlige halvkugle, derfor er der vokset planter frem dér, hvor der tidligere kun var nøgne tuer. Gylfi spørger, om hun har set nogen myrer, om de er gået i land? Han siger det med et glimt i øjet, han synes, det er uendelig morsomt, at hun leder efter myrer, og det synes hun også, i hvert fald når hun sådan begynder at tænke over det. Siger, at hun ikke har set nogen myrer, men derimod har hun set en hel stime af laks, der svømmede umådelig hurtigt op mod strømmen, som om de var blevet skræmt af noget.

Så får Gylfi et mærkeligt udtryk i ansigtet. Han har en mistanke om, hvad der er sket, hvad det er, der har skræmt laksene. Og inden i ham begynder striden. Han har vanvittig meget lyst til at gå ned til floden igen, give sig i kast med laksene, det trækker i ham efter at komme ud at fiske, men der er noget andet, der i lige så høj grad trækker i ham, en længsel han ikke kan kontrollere. Skal vi ikke gå op til huset og hvile os lidt, så kan jeg gå ned at fiske i aften. Siger han til Nanna. Hun er blødere end floden.

Fluerne har adgang til de åbne vinduer.

Fiskerhytten slumrer i varmen, vågner ikke, selvom Senna støder døren op. Fluerne letter fra bordet i køkkenet, da en trækvind blæser gennem huset. Senna er alvorlig, går med målbevidste skridt rundt i hytten, sætter hælene hårdt i, som hun plejer, men der er ingen reaktion. Døren til soveværelset står halvt åben, hun går ind.

Hendes forældre sover. De har ansigterne vendt mod hinanden, hendes mor og far, hun holder om hans håndled som for at sikre sig, at han ikke forlader hende, mens hun sover. Han har bar overkrop, hun har en T-shirt på, måske har de været en tur i jacuzzien og har taget sig en lur bagefter. Ligger bare og dovner, mens hun slider sig selv op for dem på det elendige hotel. De holder bare ikke nok af hende, det er problemet. Hun er også et plejebarn. Nedstammer ikke fra den samme hvide, indbildske race som dem, derfor synes de selvfølgelig, at det er helt i orden, at hun bare skal gøre rent og fjerne andre folks skidt og møg. Og hun, som havde skrevet sådan en fremragende historie om dem. Hun kunne lige så godt have ladet være. Historien var alligevel også død, stendød. Og det hele var deres egen skyld.

Hun koger af harme, så hun viser ingen nåde, vækker dem ved højt at sige: Ved I, hvad man kalder mig på jeres fandens hotel?

De åbner øjnene, ser fortumlede på hende.

Hun stikker begge hænder i lommen, lader vægten hvile på højre fod, holder den venstre fri og banker let og taktfast med den i gulvet, mens hun læser dem teksten. Den første del går hovedsageligt ud på at beskrive en stuepiges arbejde på et godt turisthotel ude på landet, hun sætter fokus på de forhold, der venter stuepigen på et værelse, som gæsterne har forladt. Klistrede chokoladepletter på puderne, rødvinspletter på gulvet, rande efter neglelak på bordene, læbestift på gardinerne, øldåser i papirkurven, makeup i håndvasken, kondomer og sæd på lagnet, afføring og andre modbydeligheder over hele toiletkummen, bakterier overalt efter de her mennesker, som hun skulle gøre rent efter, og det værste var, at det pak behandlede hende, som om hun selv var en bakterie. Anden del handler om hendes møde med de tre mænd på hotelgangen, hotelmanageren og de dér nyrige hunde, hver eneste detalje bliver nøje beskrevet og til sidst rundet af med den sætning, som var møntet på hende: Hvad laver hende den skævøjede rengøringskone her?

Beskrivelserne afføder unægtelig en reaktion.

De sætter sig op i sengen, stirrer på hende, er helt målløse.

Til sidst spørger hendes far roligt, om hun ikke har svaret

mændene igen, sagt, at hun var i sin gode ret til at stå der, selvom hun havde en skurespand i hånden, de havde bare at tale høfligt til hende og desuden vise respekt for folks herkomst, hvad den så end måtte være?

Senna skrumper ligesom ind, siger så, at det gjorde hun ikke, hun var blevet så paf. Hendes far fortsætter, du er nødt til at lære at stå fast på din ret, der er ingen, der gør det for dig.

Hotelmanageren bliver fyret, siger hendes mor. Han talte ikke vores datters sag, da han burde have gjort det.

Far og datter ser på Nanna, de har en formodning om, at hotelmanageren vil blive fyret. De ved, at hun sjældent tager beslutninger, men når hun gør, er de indiskutable.

Hendes far rømmer sig, trækker lidt på det, siger så, at hun får fri i nogle dage, mens hun kommer sig, men så bliver hun nødt til at bide tænderne sammen og vende tilbage til sit arbejde. Og hendes mor spørger, om hun ikke vil lægge sig hos dem og sunde sig lidt.

Senna bliver som et lille barn igen, der vil putte sig mellem mor og far, hun lader sig dumpe ned i varmen mellem dem. Nanna holder om hendes hoved, stryger hende over det kulsorte hår og snuser til det. Hun mærker altid den samme duft fra Sennas hår, duften af kirsebær. Siden hun for første gang tog hende i sine arme, har hun kunnet dufte denne vidunderlige eksotiske duft af bær. Kirsebær er ikke almindelige i landet. Men det bliver de forhåbentlig i takt med den globale opvarmning, tænker Nanna.

Da Gudrun Senna spillede et stykke, som jeg havde givet hende for, skete det, at hun stoppede midt i det hele og begyndte at fortælle mig om nogle begivenheder, som hun havde læst eller hørt om. Hendes fortælling var så underholdende, at jeg tilgav hende den manglende interesse, når det kom til musikken. Det var hendes mor, som ville have, at hun skulle lære at spille klaver, mente, at det ville styrke hende at kunne spille på et instrument, musik får folk til at glemme hverdagens modgang, slid og slæb. Senna er af asiatisk afstamning og fik nogle gange bemærkninger om sit udseende, ikke sådan at hun blev mobbet, ikke så vidt jeg ved, men bemærkninger kan ofte være sårende, det er ikke lige meget, hvilken tone folk bruger, når de taler. Hun mødte op til sin første time hos mig, da hun var seks år, holdt så op, da hun var femten, da hang noder hende langt ud af halsen, sagde hun. Nanna tog sig det meget nær, men jeg sagde til hende, at det skulle hun ikke, pigen havde uden tvivl andre talenter. Hvilket hun også havde, hun kunne fortælle historier. Selvom Nanna ikke spillede på noget instrument selv, var hun meget musikalsk. Da vi som unge piger lærte hinanden at kende i Østrig, var hun ung pige i huset hos en fransk pianist, som var gift med en berømt dirigent, så hun levede og åndede for musikken i de år, hvor hun boede hos dem. Selv studerede hun ikke, havde ikke tid til det, ægteparret havde to børn, men hun gik dog til tysk og fransk om aftenen, og hun interesserede sig meget for alt, hvad der havde med naturen at gøre. Musikerparret i Østrig flyttede så til Amerika, men skaffede først en plads til Nanna hos deres venner i Paris, nogle rige jøder, og de indgik den aftale, at Nanna fik lov til at gå til timer på universitetet sideløbende med sit arbejde i huset. Hun indskrev sig på biologi, men gik aldrig til eksamen, fordi hun tog Senna til sig. Ægteparret, som hun var hos, havde et rigtig godt klaver, jeg sneg mig til at spille på det en dag, de ikke var hjemme. Så besøgte jeg Nanna, inden jeg tog hjem, og overnattede hos hende oppe på det lille pigeværelse. Dengang havde Nanna ingen særlige pligter eller ansvar i hjemmet, og der var ingen børn, hun var mere en slags hjælp for husholdersken, gik hende til hånde og serverede ved bordet, når ægteparret havde gæster. Hvilket de nu havde temmelig ofte. Men husholdersken var asiatisk, hun fik Senna med en afrikaner eller araber, jeg ved ikke helt, hvilken af delene han var, som hun kom til at gå i seng med, på det tidspunkt var hun en midaldrende kvinde. Hun troede, at hun havde passeret den fødedygtige alder, og derfor opdagede hun ikke, at hun var gravid, før det var for sent. Faderen til barnet ville ikke have noget med hende at gøre, men ægteparret, som hun var hos, ville for alt i verden ikke miste hende og besluttede sig derfor til at støtte hende, gav hende lov til at have barnet hos sig. Men så viste det sig, at hun led af uhelbredelig kræft og ikke havde langt igen, og så kom Nanna ind i billedet. Hun og husholdersken havde holdt meget af hinanden, og på en eller anden måde fik hun arrangeret det sådan, at Nanna kunne adoptere barnet. Hun og Gylfi giftede sig endda i al hast på rådhuset for at få adoptionen til at gå hurtigere igennem. På det tidspunkt havde de været sammen et stykke tid, i hvert fald lejede de en lejlighed nogle måneder inden, de fik Senna. Mellemnavnet har hun fra sin biologiske mor, hun blev vist kaldt Senna.

11

Uret tikker i livredderens tårn.

Tyve minutter med intensiv crawl, og løsningen lader stadig vente på sig. Finnur beslutter sig for at rulle om på ryggen, kigge op i den blå himmel, farven virker afsvalende på tankerne, får folk til at tænke logisk.

Han strækker hænderne højt op over hovedet, forsøger at holde dem der, så længe han kan, inden han begynder at svømme. Vandet er for varmt, synes han, det gør man selvfølgelig for de gamle koners skyld, tænker han, de er så kuldskære, men man bliver hurtigere træt, når man svømmer, hvis vandet er for varmt, og det er irriterende, synes han, for han ved, at han denne gang har brug for at svømme længe, hvis han skal komme frem til den rette konklusion i sagen, få brikkerne til at passe sammen. Han har tallene, de er ubetvivlelige, men han begriber dem ikke. Det er menneskelige størrelser, han slås med. Han holder folks skæbne i sine hænder.

Ét fotografi kan ændre deres liv.

Det er ham, som bestemmer, hvordan fotografiet skal undersøges.

Han svømmer to hundrede meter på ryggen og kigger op i den blå himmel, mens han funderer over, hvordan han kan bruge sine evner som dygtig revisor til at ændre de menneskelige størrelser til tal, som han siden kan få til at stemme. Han gør sig klart, at han er nødt til at tage hver størrelse for sig, overveje dens linjer, areal og rummål, hvis han på nogen tænkelig måde skal kunne gengive den som et tal.

Han går over til brystsvømning. Svømmer roligt af sted, mens han oplister fakta for sig selv i tankerne. For det første spekulerer han over, hvorfor fotografen har taget et billede af dem i metroen. Hvad har han tænkt sig at gøre med et billede af nogle mennesker, som åbenlyst var helt ukendte for ham, dengang billedet blev taget? Eller har fotografen kendt Gylfi, inden han kom til landet? Hvorfor havde Gylfi i så fald ikke fortalt ham om det? Var der nogen forbindelse mellem den fejl, han fandt i bogholderiet og fotografen? Kunne der være tale om pengeafpresning?

Som revisor kom sagen i høj grad også ham ved. Tallene skulle stemme, driften af et firma centrerede sig om det faktum. Han ville selv blive gjort ansvarlig for revisionen. Dette burde Gylfi gøre rede for, og det var på høje tid, hotellernes årsopgørelse burde foreligge inden for kort tid. Hvornår mon billedet var blevet taget? Det var forholdsvist nyt, det kunne han se på Gylfis frisure. Billedet var taget med en mobiltelefon, sandsynligvis uden at de vidste det. Og hvad lavede de i Paris?

Hvad ville Nanna sige, hvis hun så billedet?

Finnur mærker, hvordan han bliver varm i kroppen ved tanken om Nannas reaktion. Inden han ved af det, er han begyndt at svømme hurtig crawl, hans hænder kløver vandet som hårde knivstik, mens han forestiller sig, hvordan hun vil reagere. Han ser mange muligheder for sig, én af dem ligger ham meget på sinde, og han bliver glad indeni, når han leger med tanken. Han kan ikke beherske sig. Han har lyst til yderligere at tjekke den mulighed ud, som pigerne på hans kontor nogle gange siger. Andre tænkelige muligheder skubber han fra sig.

Han slår over i rygsvømning for at berolige sig selv og få greb om fakta igen. Hvad er denne fotograf for en mand? En mand af gådefuld oprindelse, som er kommet i kridthuset hos hans nevø, har fået indrettet sig i kælderen. Men er det hans plan at afpresse Gylfi, eller ligger der noget mere bag? Er han måske repræsentant for nogen udlændinge, er han leder af en gruppe, som langsomt, men sikkert har tænkt sig at overtage landet?

Så kommer han i tanke om Hjálmar. Han sluger ved et uheld noget klorvand, så meget, at han får det galt i halsen. Hjálmars reaktion ville gøre udslaget.

Finnur synes, det er bedst, at han kommer op af bassinet, visse ting tænker man bedre over i dampbadet, hvor dampen kan fugte bevidstheden.

Natten er fløjlsblød. De søvndrukne stedmoderblomster trækker fugten i luften til sig, men er forsigtige, kvinden er vågen. De er uvante med at have hende i nærheden ved mørkets frembrud, véd også af gammel erfaring, at hun er uberegnelig. Hun sidder under markisen, som Hjálmar satte op, da han fik den idé, at mødre på deres ældre dage skulle bruge tiden på at sidde i solen på deres altan med en god bog af en af de gamle mestre. Han regnede ikke med, at de sad der ved nattetide, i morgenkåbe med deres bærbare computer i skødet.

Ingdís surfer på nettet, tjekker om der er nogen, der taler dårligt om hende eller hendes Hjálmar, hun ved, hvor ondskabsfulde folk kan være, når de er gennemsyret af misundelse. Lyset fra computerskærmen oplyser hendes ansigt, gør det spøgelsesagtigt, stedmoderblomsterne bøjer hovederne, så de ikke behøver se på hende. Ingdís vil hellere sidde ude på altanen, hun havde fået kvælningsfornemmelser indenfor, som om hun var lukket inde i en celle. Hun gransker nøje Facebook, mens hun mærker et nervøst stik i mellemgulvet, men hun finder ikke noget, der muligvis kunne bringe hende ud af fatning.

Så vender hun opmærksomheden mod hjemmesider for rejsebureauer og biludlejningsfirmaer i håb om dér at finde et lokkende tilbud, som kunne berede hende vejen til friheden. En charterrejse til Italien med kunstnervenner eller en bil til en god pris, som hun kunne strejfe om i mellem fjordene, men når det kommer til at tage en beslutning efter at have overvejet og søgt efter forskelligt, begynder utrygheden at snige sig ind på hende. Hun kunne ikke se for sig, at hun skulle rejse alene.

Verden udenfor er farlig, hun ser alle mulige forhindringer. Udenfor, indenfor, tænker hun højt. Så går der et lys op for hende, hun er ikke trænet i verden udenfor. Al hendes træning er foregået indenfor. Hendes sikkerhedszone er hjemmet, dér kan hun finde sig til rette, dér har hun magten, dér har hun været i århundreder. Verden udenfor har altid tilhørt Finnur, som tager alene til sommerkoncerter i Tyskland, og Hjálmar, som kører over spejlglatte heder i sin sorte firehjulstrækker. Hvis hun skal følge i deres fodspor, ser hun lutter trolde på vejen.

Sidder kujonagtigt i sin celle, men lader, som om hun kan alt.

Alligevel har hun prøvet at bevæge sig forsigtigt rundt udenfor, har hun ikke? Føler hun sig ikke tryg i butikker og teatre, på universiteter og museer, alle steder, hvor folk mødes i kulturens navn? Risikoområderne befinder sig længere oppe og længere ude, i drengenes fiskeområde. Der fisker de, kender de rigtige fremgangsmåder, grebene, sproget. Hun er uvidende om de emner, har kun lidt erfaring, ingen træning. Gør alt forkert, når hun får chancen, holder ikke med pigerne, passer på, at de ikke kommer ud i de områder, der skaber magt og respekt, mærker bare, at hun bliver misundelig, som om der altid er nogen, der prøver at tage noget fra hende.

Køretøjerne på skærmen springer i øjnene, hvide, sorte, røde, grå. I morgen vil hun leje den røde. Køre vestpå nordpå østpå sydpå, komme ud af sin celle, udforske risikoområderne.

Hun farer sammen, da hun hører en dør blive smækket. Smækken med døre på denne tid af døgnet, når de fleste er gået til ro, tyder på, at den, der smækkede den, ikke har fuld kontrol over sine bevægelser. Hendes søn har uden tvivl været ude at drikke med sine venner, det gør han af og til, når han har haft en lang dag på arbejdet. Han er også noget utilfreds med livet i disse dage, det kan hun mærke. Ved ikke, hvad der er årsagen, vil ikke vide det, håber, det går over.

Alt går over, hvis man bare venter længe nok.

Hun hører ham gå ud på badeværelset, hvor han skramler og roder rundt, hun venter roligt og kigger på udlejningsbilerne på nettet. Hører ham gå ind på sit værelse, noget falder på gulvet, hun håber, at det ikke er noget, der kan gå i stykker. Så bliver der tændt for radioen, og en type musik, som hun finder trættende, trænger ud i hver eneste krog af lejligheden. Hun bliver urolig, men venter alligevel, hun er begyndt at fryse i sin morgenkåbe ude på altanen. Til sidst kan hun ikke dy sig, musikken er uudholdelig og vækker måske naboerne, hun lister hen til døren ind til sin søns værelse, åbner den forsigtigt.

Han ligger i lyset på sin venstre side med bar overkrop, men iført cowboybukser, han er barfodet og er faldet i søvn. Hun breder dynen ud over sin lille, smukke dreng. Stryger ham over håret, slukker for radioen, slukker lyset, åbner vinduet lidt, så han kan få frisk luft med sig ind i drømmeland, går ud og lukker stille døren efter sig.

Hun skynder sig ud på altanen, lukker computeren, kaster et hurtigt blik på lysene i naboernes vinduer. Derefter på stedmoderblomsterne. De forsøger at holde lav profil, véd, at det, der burde komme, sandsynligvis først vil ske sent. Og de vil uden tvivl få skylden.

Løbebillerne kravler stille og roligt rundt.

Bevæger sig forsigtigt fra ét hjørne til et andet, følger naturens strengeste ordrer om altid at bevæge sig rundt, selvom der ikke kommer noget ud af at flytte sig, og bevægelsen i virkeligheden er formålsløs, når alt kommer til alt.

De er blevet afdækket. Kvinden med haveskeen og kniven har skåret et stykke af grønsværen, løftet taget over dem væk, de er ubeskyttede. Nanna iagttager dem, temmelig uinteresseret, hun har haft kendskab til dem, siden hun var barn, stirrer bare på dem, mens hun tænker. Hun havde håbet at få øje på nogle nye arter, hun havde været så sikker på, at det varmere klima ville bringe hende en ny fauna med småkravl.

Hun stikker haveskeen ned i jorden, løfter en skefuld jord op sammen med en af løbebillerne, holder den op til øjnene, kniber dem sammen, mens hun studerer den. Den sidder helt stille, stoler på sine mørke camouflagefarver, men er bevidst om truslen.

Så hører Nanna lyden af en bil, hører, at nogen kører ned ad den bugtede grusvej, som fører ned til fiskerhytten. Først tænker hun, at det er Senna, der er kommet tilbage, har glemt noget. Fra lavningen ser hun bilen nærme sig, da den kommer tættere på, kan hun se, at det er Hjálmars sorte firehjulstrækker.

Hun lader sig synke lidt ned bag det lave krat. Løbebillen på skeen rører sig ikke.

De er to sammen i bilen, Hjálmar og Finnur, de parkerer bilen ved siden af Gylfis firehjulstrækker, stiger ud, deres attitude er meget bestemt. Åbner bagagerummet, tager ting ud, hun kan se fiskestængerne. Finnur er klædt som en engelsk lord i tweedjakke med grønt uldslips og en blød hat, det er hans lystfiskertøj. Hun har længe beundret hans påklædning, eller måske nærmere det faktum, at han har modet til at være den, han vil. Hjálmar klæder sig ligesom Gylfi, når han skal ud at fiske, har en særlig fiskertrøje og en vest på samt kasket. Hun ser dem bære tingene fra bilen op på terrassen på den nordlige side af huset, og så forsvinder de ud af syne. Hun har stadig ikke hørt dem sige et ord, selvom hun ved, at hun burde være i stand til at høre folk tale sammen på denne afstand, måske mumler de.

Lidt senere ser hun dem gå ned mod floden iført waders og med fiskestænger i hænderne.

De er kommet for at fiske. Gylfi vil uden tvivl hilse dem velkommen.

Hun lader sig dumpe ned i lavningen, passer dog på, at jorden ikke falder af haveskeen. Spekulerer og forsøger at se for sig, hvordan tingene vil udvikle sig. Hun bryder sig ikke om det. Det er utænkeligt, at hun og Gylfi kan få talt sammen, sådan som hun havde håbet på. Hun havde tænkt sig at give ham lidt tid, inden hun begyndte at drøfte de ting med ham, som lå hende på sinde, først ville hun give ham lov til at fiske af hjertens lyst. Det var en kunst at få en samtale med ham under fire øjne for at tale om familiesager eller bare om deres forhold. Han var altid så ophængt, og desuden var det, som om han fandt den slags samtaler unødvendige. Hun var for sent på den, det var hun nødt til at se i øjnene.

De ville tage al opmærksomheden, Finnur og Hjálmar. Og hun ville blive nødt til at lave mad til dem og tage sig af dem, fordi hun nu engang befandt sig på stedet. Det var måske ikke det store problem at sætte noget mad på bordet til dem, det var ikke så svært, nej, det var noget andet. Deres tilstedeværelse. Især Hjálmars tilstedeværelse. Hun ved, at hans blik vil hvile på hende, og hun ved ikke, om hun vil kunne holde det ud, om hun kan opføre sig naturligt. Det er, som om noget i deres forhold til hinanden har ændret sig, eller som om noget er ved at ændre sig mellem dem. Hun ved ikke, om det er det ene eller det andet.

Løbebillen i haveskeen har mistet tålmodigheden, den har flyttet sig. Nanna kigger på den endnu en gang, undersøger nøje, om dens bug har ændret udseende, stikker så skeen ned i jorden igen.

Hun rejser sig op, stirrer på Gylfis firehjulstrækker, tænker sig om.

De stålgrå skyer trækker sammen, presser dråber ud af hinanden.

Støvregnen gør Gylfis ansigt vådt, han liver op, han får nyt håb, sætter en klassisk rød Frances på og stripper linen. Fiskene har været uvillige til at bide, vandoverfladen har ikke passet dem, lufttrykket har været for højt eller for lavt, vandets surhedsgrad har ikke været den rigtige, Gylfi har brudt sin hjerne i timevis med at granske forholdene, man kan vel næppe skyde fiskenes uvillighed på fluerne. Han hverken hører eller ser, da hans onkel og bror nærmer sig flodbredden.

De lister sig langs med bredden, let foroverbøjede. Der er ingen sol på himlen, så de behøver ikke at frygte, at deres skygger skræmmer fiskene, de lister bare af gammel vane og går uvilkårligt lidt foroverbøjede. Selvom de lister, er det ikke for at gøre ham forskrækket, det er meningen, at han skal få øje på dem, når han ser væk fra floden.

Men Finnur vil liste sig ind på ham i overført betydning. Billedet ligger foldet sammen i hans jakkelomme. Han vil ikke være så smålig at ødelægge fiskedagen med at begynde på en lang snak om det, det må vente til aften, når augustmørket har slugt floden.

I samme øjeblik den bider på, får Gylfi øje på sine fiskekammerater. De ser, hvad der er på spil, skynder sig ned til bredden uden at tale sammen, er ikke mindre spændte end fiskeren selv. Gylfi trækker behændigt fisken i land, den ligger på siden på stenene ved bredden, Finnur griber fat om dens hale, holder på den som på et lille barn et øjeblik. Hjálmar flår målebåndet frem, det er en halvfjerds centimer lang han. Gylfi er ude af sig selv af glæde, den har en flot bug, fremstammer han så. De tager fisken af krogen og sætter den så ud i vandet igen. Ser henførte på den, mens den svømmer ud i friheden.

Egentlig har de ikke meget at sige om deres uventede ankomst, de er der bare, og Gylfi ved, at de kommet, det er, som om han hele tiden havde ventet dem, og de er alle sammen glade for at være sammen igen og behøver ikke at diskutere det yderligere.

De deler fiskeområderne imellem sig. Hjálmar går hen til indsnævringen ved det lille vandfald, Finnur har det flade stykke neden for kløften, Gylfi holder sig i det område, hvor han allerede er.

Stenene mumler ved bredden, når vandet kæler for dem,

vandfaldet vokser, floden tjatter let til klipperne i kløften. Fiskene bider i skumringen.

I det fjerne skriger en islom.

Landhotellet ligger på højre hånd, når man er kommet over broen.

Nanna kører meget langsomt hen til broen, mens hun forsøger at bestemme sig for, om hun skal køre direkte hjem eller tage et smut forbi hotellet. Hun synes, der er noget, hun bør tale med hotelmanageren om, men har ikke gjort op med sig selv, hvordan hun vil gribe det an. Om hun skal fyre ham omgående, hvilket hun har mest lyst til, sige ham op med et vist varsel eller give ham en reprimande. Hun har ikke lyst til at køre hjem, har ikke lyst til at være alene med fotografen dernede i kælderen, faktisk ved hun ikke, hvor det er bedst at være, det er, som om hun ikke kan søge ly nogen steder.

I sin hjælpeløshed drejer hun dog alligevel til højre og kører op ad sidevejen til sit landhotel. Kalder det sit, fordi hun drev det om sommeren i nogle år efter, at de var kommet fra udlandet, efter at hun kom hjem med Senna. Dengang var det et lille sommerhotel, nu har Gylfi gjort det større og ændret på det, gjort det til et favoritsted for golfspillere. Der er mange, der spiller golf nu, parkeringspladsen er fyldt. Ærgerligt at Senna havde fri.

Hun bliver siddende i bilen et godt stykke tid, mens hun kæmper med en apatisk følelse, som har fået tag i hende, hun har det, som om hun ikke hører hjemme nogen steder, er nødt til at hengive sig til de følelser, som har overvældet hende. Omsider stiger hun ud af bilen, og i stedet for at gå ind ad hoveddøren går hun langs sydsiden af bygningen og direkte ind i køkkenet.

Den kvindelige køkkenleder bliver forskrækket, da hun ser hende, men smiler kunstigt og lader, som om hun er glad for at se hende. Spørger, om hun leder efter hotelmanageren, men hun siger, at hun er på udkig efter noget spiseligt, om hun ikke har et eller andet, hun kan spise. Køkkenlederen har kun noget kage, som var til overs fra eftermiddagskaffen, hun har altid holdt af at bage og gør sig stor umage med at lave lækre og anderledes kager. Selve hendes madlavning har dog på den anden side altid været traditionel, hun serverer som oftest laks eller lammekød til aften. Så kan folk vælge, siger hun med et indbildsk smil og synes, hun selv er meget initiativrig. Hun er ved at forberede middagen nu, det bliver laks med broccolisovs og lammekød med portvinssovs, men der er masser af marengslagkage tilbage. Da hun kan se, at Nanna ikke har lyst til kage, spørger hun i en indstuderet underdanig tone, om hun måske vil vente, til middagen er klar. Nanna ser på en flue, der kravler op ad køkkenlederens kraftige arm, hun ænser det ikke, iagttager fluen et øjeblik, siger så, at hun lige vil se tiden an med hensyn til middagen.

I receptionen sidder en elskværdig pige bag skranken. Nanna går direkte hen til hende og beder hende om nøglerne til nogle bestemte værelser, hun har tænkt sig at inspicere dem. Pigen ved, hvem Nanna er, og rækker hende øjeblikkeligt nøglerne.

Det er kun to af værelserne, som er ledige, og hun står i det ene af dem og lader sit årvågne blik løbe hen over inventaret. Værelset er rent og pænt, intet der minder om datterens chokerende og overdrevne beskrivelser, men hun kan se, hvor slidt alting ser ud, møbler, gulvtæpper, gardiner.

Hun går hen til vinduet, golfbanen ligger derude, det kunstigt grønne græs på de skrånende bakker mellem huller og lave klipper. Den er forsvundet, den gamle farve, som var på græsmarken derhjemme, tænker hun, alt bliver lidt efter lidt kunstigere, for at turisterne bedre kan sætte pris på landet. Hun tænker på græsmarken derhjemme, bag ved huset, hvor hun boede med sin far, inden han rejste, hun husker tydeligt græsmarken, den havde en anden farve. Alt forandrer sig, og inden hun ved af det, er hun selv forsvundet fra markerne. Uden nogensinde at have talt med sin far igen.

Jeg er en gnavpotte, siger hun til sig selv. Det er i det øjeblik, hun hører, at der bliver banket på døren, det forekommer hende, at lyden har været længe i værelset, uden at hun har hørt den. Ja, og så er jeg ved at blive døv, tilføjer hun.

Hun åbner døren, byder hotelmanageren indenfor. Hun havde ventet ham, ved udmærket, at rygtet om hendes besøg har spredt sig som en løbeild over hele hotellet.

Han spørger ydmygt, om han på nogen måde kan gøre noget for hende. Nanna spørger ham uden videre, hvorfor inventaret på værelserne ikke er blevet skiftet ud med noget nyt, når han for et år siden havde fået penge til at få det gjort. Det havde været på hendes initiativ, at han fik et ekstra beløb til at friske hotellet op. Hotelmanageren bliver helt forfjamsket, og derefter forsøger han, mens han gestikulerer kraftigt med begge hænder og bøjer kroppen i alle retninger, at forklare hende om forretningsverdenens mysterier, skynder sig at sige, at fladskærmene med alle kanalerne har kostet ikke så lidt inklusive told og levering. Hvor mange stuepiger har du? spørger Nanna, og han er enormt lang tid om at opregne dem, som om han ikke husker helt rigtigt, bruger fingrene til at tælle. De er alt for få, siger Nanna. Tilføjer så: Har du mange skævøjede?

Hotelmanageren er rådvild. Han ved ikke, hvad hans stilling er i øjeblikket, og vælger at vente ligesom edderkopperne, når de fornemmer, at der er en udefrakommende fare på vej. Deres drøftelse af sagen bliver ikke længere end det, hotelmanageren ved, at han har fået en reprimande, dog uden at han præcist ved, hvad der ligger i den, og han finder det bedst at forsvinde. Nanna sætter sig på sengekanten. Hvorfor fyrede jeg ikke manden? tænker hun, hvorfor er jeg så sløv i optrækket, hvad tænker jeg egentlig på?

Hun kigger på telefonen. Spekulerer på, om hun skal ringe til udlandet. Hvad skal hun sige efter alle de år? Hej far, hvordan har du det? Hvordan er vejret hos dig? Spiller du stadig, nå, da, da, og hvor spiller du henne?

Hun tænker stadig på ham. Kan ikke slippe tankerne.

Hun har hans nummer i sin mobiltelefon, har lyst til at kigge lidt på det og stikker hånden ned i sin taske for at tage telefonen frem. Men den er ikke i lommen, hvor hun plejer at have den. Hun roder i tasken, får omsider fat i et lille apparat, men det er hendes kamera.

Hun har glemt sin mobiltelefon i fiskerhytten.

12

De går langsomt op til fiskerhytten i skumringen.

På én time bed laksene sammenlagt atten gange, efter det holdt de op med at tælle, så begyndte det også at blive mørkere, de kunne ikke se ordentligt længere. Nogle af fiskene følger med dem hjem, de bliver lagt på køl. Hjálmar bærer den, som de har tænkt sig at nyde. Det er en god fornemmelse at have fanget det, man skal spise.

Det er, som om floden mærker lugten af Hjálmar, når han nærmer sig området, og hidser fiskene op, siger Gylfi. De andre er enige, véd, at det er sandt, det er bemærkelsesværdigt, hvor god fangsten bliver, når Hjálmar er i nærheden. Der er næsten noget mystisk ved det. Hjálmar siger, at det såmænd er meget enkelt, han tilpasser sig floden og ikke omvendt.

Der er ikke lys i fiskerhytten. Hjálmar standser op, lidt forpustet: Skulle Nanna ikke være her et sted? Gylfi siger, at det havde han da forestillet sig, hun har været ude for at se på insekter. De spejder i alle retninger. Hun er måske gået ind for at hvile sig, siger Finnur. Så ser de, at Gylfis firehjulstrækker er væk, og når frem til, at Nanna nok er kørt en tur ind til landsbyen.

De tager deres waders af oppe på terrassen, trækker tøjet af og mærker, at de er skrupsultne. Bliver enige om, at Hjálmar skal grille fisken, Finnur skære agurk og tomat, Gylfi sætte kartofler over, arbejdsfordelingen er uforandret, selvom de er nødt til at diskutere den hver gang.

Sedlen er tydelig, som den ligger dér på bordet, da de kommer ind. Nanna har skrevet, at hun har været nødt til at tage hjem på grund af haven. Ingen yderligere forklaringer. Det stiller Gylfi sig tilfreds med, stryger sig dog hurtigt under næsen med tommelfingeren, Finnur bliver stille, men skuffelsen skyller ind over Hjálmar. Han er gnaven, da han tænder op i grillen, siger ikke meget, mens han fileterer fisken og lægger den i et grillnet.

Han henter en af dåseøllene, der ligger og slumrer bagi hans bil, står så alene ude på terrassen og tænker, mens grillen varmer op. Hører flodens brusen og tænker på Nanna. Hvorfor tog hun af sted, da hun så, at de var kommet? Så hans bil? Sagde ikke engang farvel, hun kunne være kommet ned til floden og have hilst på. Flygtede hun fra ham, flygtede fra nogle følelser, som hun ikke kunne styre? Hvorfor havde hun et billede liggende af ham, og kun ham, blandt sine personlige ting? Han ved, at deres forhold altid har båret præg af en svag form for mystik, lige siden han havde lagt sig op ved siden af hende for længe siden, ung og rådvild som han var. Noget var ved at ændre sig mellem dem, han vidste det, og vidste, at hun vidste det, selvom ingen af dem med sikkerhed kunne sætte ord på den ændrede atmosfære eller forstå, hvorfor den ændrede sig netop nu, efter alle disse år. Måske havde den altid været der uden nogensinde at være blevet anerkendt. En lang udvikling, som til slut måtte blive til en ny start. Han havde glædet sig sådan til at se hende.

Finnur har gennemtænkt sin fremgangsmåde, overvejet den grundigt. Først havde han tænkt sig, at Gylfi skulle møde ham på en café, dér ville han vise ham billedet og afkræve ham en forklaring, folk undgår som regel at gøre vrøvl eller vise følelser på offentlige steder, hvilket er rart for den, der roder op i deres tanker. Men fordi det var uladsiggørligt, idet manden ikke var til stede, havde han besluttet at fange ham oppe ved fiskeområderne, lade, som om han og Hjálmar ikke havde kunnet kontrollere deres lystfiskerfeber, den følelse kendte Gylfi udmærket, og så i ro og mag vise ham billedet, når de var færdige med at fiske, komme til bunds i sagen.

Han er ved at høvle agurken i tynde skiver med osteskæreren, da han brat holder op, som om han pludselig er kommet i tanke om noget, han havde glemt, tager billedet op af sin jakkelomme, det sammenfoldede, printede billede, glatter det ud og rækker det til Gylfi. Kender du noget til det her? spørger han.

Gylfi ser på billedet uden at tage imod det, lægger låget på gryden, ser igen på billedet, tænder for komfuret, ser ud ad vinduet på Hjálmar. Begynder så at rode i skabene, trækker skuffer ud. Finnur lægger billedet fra sig, høvler videre på agurken, forhaster sig ikke, leder du efter noget? spørger han henkastet. Jeg troede, jeg havde nogle cigarer her et eller andet sted, siger Gylfi.

Finnur mærker, at han bliver en anelse vred. Han åbner en flaske hvidvin, som han har haft med og lagt på køl, venter på et svar, som ikke kommer, henter tallerkener og bestik og dækker bordet pænt, stiller flasken på afstand af servicet og lægger til sidst billedet på bordet. Glatter det godt ud og ser spørgende på Gylfi.

I samme øjeblik kommer Hjálmar ind. Han skal til at sige noget om madlavningen, men lader være, da han fornemmer den tunge stemning, som hersker derinde. Han kigger skiftevis på sin halvbror og sin onkel, får så øje på billedet på bordet og tager det forsigtigt op.

Han stirrer vantro på det, han ser. Gylfi og Ása sammen i en metro. Hun sidder ved siden af en mørklødet mand, Gylfi står ved hendes side, holder fast i en strop, der hænger ned fra loftet, Ása smiler inderligt til ham.

Gylfi kan ikke finde nogen cigarer, men han er også for længst holdt op med at ryge dem. Han siger: Det var dengang, hun tog ud at rejse med sine veninder, jeg var på forretningsrejse og mødte dem alle sammen, ved et tilfælde, viste dem så, hvordan de lettest kom ind til Louvre med metroen, de andre sidder et andet sted i vognen.

Finnur og Gylfi kigger på hinanden ud af øjenkrogen, mens de venter på Hjálmars reaktion.

Ása, hans tidligere kone, med Gylfi i et tog i Paris? Hjálmar lader billedet falde ned på bordet igen, spørger, hvad der egentlig er så bemærkelsesværdigt ved det billede. Det ser ikke ud til, at billedet har oprørt ham særligt.

Det kommer bag på de andre. De havde regnet med noget andet.

Finnur rømmer sig og siger, at et billede kan rumme mange betydningsfulde oplysninger, som de måske burde drøfte yderligere, men han synes nu, at det rigtigste må være at få noget i maven, inden den diskussion bliver taget op.

Så hælder han vin i sit glas og siger, at da han havde brugt en nybundet flue dernede ved bredningen, som han ikke havde brugt før, havde fiskene bidt på ved første kast. Gylfi virker tankefuld, som om han ikke er helt med, siger så med et bekymret udtryk, om ikke det er bedst at lade floden hvile i morgen formiddag. Finnur grubler over det forslag, ikke helt tilfreds med reaktionen, han ville gerne have diskuteret fluen yderligere, men Hjálmar siger bestemt, at han er enig, han har selv kunnet mærke på floden, at den trænger til hvile.

De kolde regndråber tripper på overfladen af det varme vand. Gylfi sørger for, at jacuzzien er varm, næsten fyrre grader, det kan de alle tre bedst lide. Det er den bedste måde at få musklerne til at slappe af, når man har stået længe i samme stilling i floden. Desuden kan de altid skynde sig op af jacuzzien, hvis den bliver for varm for dem, skridte rundt på terrassen, mens de køler af, og så hoppe i igen.

Det damper fra Finnurs krop, når han går frem og tilbage på terrassen for at køle af. Da han skræver ned i jacuzzien igen, siger han, som om han lige er kommet i tanke om det, at han ikke rigtig kan finde ud af det der med billedet, det vil sige, hvorfor tog ham der fotografen det billede i Paris med sin mobiltelefon og har så bragt det og en masse professionelt grej her til landet?

Og har taget billeder af os alle sammen, tilføjer Hjálmar.

Gylfi tier og iagttager dråberne, der tripper på overfladen. Da der ikke er mange forklaringer at hente hos ham, spørger Hjálmar, og hans vejrtrækning er blevet en anelse hurtigere, hvorfor han mon har givet manden lov til at bo i sin kælder?

Finnur venter også på svar.

Gylfi er stadig tavs, mens han tænker. Han overvejer, om han skal svare dem eller ej. Han ved, at han ikke behøver at svare dem, de er fuldstændig afhængige af ham, hvis det passer ham, kan han lade dem sejle deres egen sø, ingen skal fiske i hans flod mere, ingen overbetaling, ingen positiv særbehandling, desuden kommer det ikke dem ved, hvad han foretager sig. På den anden side overvejer han, om han kan indrømme over for dem, at hans forfængelighed er blevet pirret af at lade sig fotografere af udlændingen, lade billederne føre bevis for hans handlekraft og kompetence, lade dem tale. Han er sådan set aldrig blevet forkælet. Men hvorfor han har sluppet manden ned i sin kælder, tydeligvis imod alles vilje, var han ikke rigtig i stand til at forklare, medmindre det kunne have været af medlidenhed. Han vidste udmærket selv, hvordan det var at være udlænding og oven i købet ikke eje en krone. Hans mor havde været påholdende med pengene, da han studerede i udlandet, havde sagt, at han skulle lære at klare sig med lidt, lære at være sparsommelig og forudseende, sådan ville han blive rig. Det rene sludder og vrøvl, han var allerede dengang blevet enearving til en formue. Han havde alligevel aldrig prøvet at føle rigtig sult, for han var altid i nærheden af et eller andet hotel, hvor der var nok af mad at få, på den anden side havde han aldrig været i stand til at klæde sig iøjnefaldende, og det havde ofte irriteret ham. Da han og Nanna mødtes igen i Paris, fuldstændig tilfældigt i metroen, et glædeligt møde havde det været, havde han haft sin gamle frakke på, mens hun havde en vanvittig dyr uldfrakke på. Hun, hushjælpen. Faktisk havde hendes arbejdsgiver været en generøs tøjproducent, det var en anden historie, men det ændrede dog ikke på, at forskellen i deres påklædning havde været for påfaldende, deres stand og status taget i betragtning. Næsten nedværdigende, syntes han. I metroen. Den igen. Uanset hvor meget han forsøgte, kunne han ikke mindes, at der var nogen, der havde taget et billede af ham og Ása med en mobiltelefon. Han burde have set en bevægelse, som afslørede det. Men det var åbenlyst, at det var blevet taget, da han kiggede ned på Ása. Hvorfor havde manden taget et billede af dem? Hvad fanden ville han?

Det siger han højt: Hvad fanden ville manden her?

Gylfi kravler ud over kanten af jacuzzien, han er nødt til at køle af. Finnur tænker, så det knager, han kan ikke få regnestykket til at gå op, og alligevel er det, som om hver eneste celle i hans hjerne vil forbinde billedet med tallene i bogholderiet, som ikke stemmer, han kæmper med en eller anden uklar idé, som han ikke kan få ud af hovedet. Men hvordan skulle den ukendte mand have vidst, at Gylfi var rig, og at kvinden, som var sammen med ham, var hans brors tidligere kone? Som om det overhovedet havde nogen betydning, mødte mænd ikke hele tiden kvinder og kvinder mænd, var det ikke en naturlig måde at omgås på nu til dags? Her var der noget alvorligere på spil. Gylfi får kuldegysninger, han træder atter op i det varme vand, siger, at udlændingen muligvis er udsendt håndlanger for en eller anden organisation, som vil underlægge sig landet for at få fat i dets vandressourcer, at han måske er i gang med at bane vejen for noget større, prøver at få foden inden for hos nogen, som ejer et stykke land og råder over en formue?

Man kan tydeligt høre flodens brusen i stilheden, der følger efter den sidste gisning.

De havde ikke tænkt på dette i et globalt perspektiv. Finnurs tanker løfter sig, hæver sig op over tallene i bogholderiet, hæver sig op i et højere rige, nærmer sig det dér uklare, som kendetegner manden, og som han aldrig selv er i stand til at forklare. Han ser fast på sine nevøer, siger, at eftersom de nu har bevæget sig ud i konspirationsteorier, som udmærket kan vise sig at passe, når det kommer til stykket, mennesket har altid haft fornøjelse af sammensværgelser, har dyrket dem helt tilbage til det gamle Rom, uden at han nu skulle begynde at oprulle hele menneskehedens historie, men så burde man overveje, om religion og magt spillede en rolle i dette afgrænsede tilfælde.

Brødrene stirrer på deres onkel. Så han fortsætter, ser, at de muligvis ikke har funderet over de samme ting som han, når menneskets højere bevidsthed er involveret. Han siger: Religionskrige føres stadig, mennesker vil stadig gøre hvad som helst for at udbrede deres tro til så mange lande som muligt, det giver dem magten. Brødrene ser på deres onkel uden at forstå noget som helst, eller også lader de, som om de ikke forstår for at få yderligere forklaringer, inden de selv vil tilføje noget. Så Finnur tilføjer: Udlændingen sparkede til Olli, han er sikkert islamist, og der er mange ting, som muslimer ikke kan fordrage, og som de vil have efter deres hoved. Mange er af den overbevisning, at deres fremtidsvision er at undertvinge den vestlige verden og indføre islam, blive kolonister i et kristent land med det formål at formere sig langsomt, men sikkert, og dermed få magten.

Halvmånetog i stedet for korstog, siger Hjálmar alvorligt.

Finnur synes ikke, det er noget at gøre grin med.

Gylfi sidder i dybe tanker efter de gisninger, som er fløjet hen over vandoverfladen, siger så, at han bare havde tænkt, at han ville gøre den stakkels mand en tjeneste ved at give ham et gratis sted at bo hen over sommeren, men bortset fra hans eventuelle mål, om de så er af økonomisk eller religiøs karakter, har han stadig svært ved at forstå, hvorfor han har taget det billede af ham med sin mobiltelefon. Der må ligge noget bag, som de mangler at få fisket frem.

De sidste ord minder dem om deres fiskeri tidligere på dagen, Finnur har stadig ikke fortalt om den nye flue, som han brugte. De gennemgår dagens begivenheder, drøfter deres fangst, diskuterer vægten og længden på de fisk, som i særlig grad fangede deres interesse, skændes godmodigt om de mest anvendte fluer. Hjálmar skynder sig op for at hente en øl.

Så spørger Finnur hurtigt Gylfi, om han er blevet udsat for afpresning af nogen art den seneste måned. Ordene flyver ud af munden på ham, uden at han selv har nogen kontrol over det. Først kommer det bag på Gylfi, men derefter spørger han med overlegen mine, hvorfor han dog skulle blive afpresset, han har ikke gjort noget som helst. Nej, siger Finnur, måske ikke, men tallene i bogholderiet stemmer ikke.

Så var det sagt. Nu var der risiko for, at han krænkede kongen. Gylfi ser fast på ham, siger så lavt: Så får du tallene til at stemme, Finnur, du er revisoren.

Finnur siger: Det drejer sig om flere hundrede tusinde, Gylfi.

Gylfi svarer ikke, Hjálmar er kommet ud til jacuzzien igen med sin øl.

Der går en rum tid, inden Gylfi siger, at han vil hente fotografen herop og lade ham forklare, hvorfor han har taget billedet. Er du sindssyg, mand? ryger det ud af Hjálmar, jeg vil ikke have den udlænding herop. Siger det, som om floden er hans ejendom.

De stirrer alle sammen ned i vandet, har ikke lagt mærke til, at det er klaret op.

Finnur siger, at nogle gange er man nødt til at gøre noget, som man ikke bryder sig om. Det bedste ville formentlig være at lade fotografen svare for sig selv. Hvor og hvornår, har du mon tænkt over det? spørger Hjálmar hidsigt sin onkel. Han vil være fri for fotografens indblanding, han går ham på nerverne.

Gylfi tager ordet, han er enig med Finnur, det bedste og mest naturlige vil være at lade manden selv svare på, hvorfor han har valgt ham, Gylfi, som motiv, næsten to måneder inden han kom til landet. Han undgår at nævne Ása, som var med på billedet, men siger, samtidig med at han kigger filosofisk op i himlen: Bør vi ikke som kristne mennesker vende den anden kind til?

De, der vender den anden kind til, bliver bare korsfæstet, siger Hjálmar koldt.

I den halvmørke augustnat lægger de råd op.

Deres fingerspidser minder om rosiner, da de omsider er færdige med at overveje, hvilke metoder der er de mest effektive, hvis man vil fiske sandheden ud af folk.

Bussen kører ind på den grusbelagte plads foran tankstationen.

Den stopper et øjeblik for at sætte passagerer af, drøner så videre nordpå. Buschaufføren stikker hånden ud ad det åbne vindue og vinker til passageren, som står tilbage på gruset. De har tydeligvis fået sig en god snak undervejs.

Hjálmar holder og venter i sin sorte bil. Han har fået til opgave at hente fotografen og køre ham op til fiskerhytten. Han betragter manden et øjeblik, som han står dér med sit kamera og sin rygsæk og skraber i gruset. Trækker så vejret dybt og lader sin modvilje mod ham sive ud af kroppen, dytter og vinker dovent til ham, da han vender sig om. Det giver et sæt i fotografen, så smiler han bredt og løber hen til ham.

Utroligt som den mand kan smile, tænker Hjálmar og orker ikke at indlede en samtale, da fotografen har sat sig ind i bilen. Men fotografen er ivrig og glad, fuld af forventning til den opgave, som venter ham, siger, at han var blevet så glad, da Gylfi ringede til ham, så glad for at få lov til at fotografere ham i de rette omgivelser, en nordisk mand, der fisker i sin flod, det var et billede, som alle mænd på kontinentet ville stoppe op ved.

Fisker de ikke, jeres kvinder? spørger Hjálmar tørt. Fotografen studser, er tavs et øjeblik, siger så stilfærdigt, at hans mor aldrig har fisket, ikke så vidt han ved. Nej, det ville vist heller ikke kunne gå, siger Hjálmar og speeder op, han befinder sig stadig på asfaltvej. Det ville aldrig gå, gentager han, tørklæderne eller burkaerne ville bare være i vejen ude i floden, de ville blive gennemblødte til op over begge ører på et øjeblik.

Fotografen piller ved sit kamera. Hjálmar fortsætter, mærkeligt, men jeg har aldrig set dem med tørklæderne i teatret, og jeg har nu ellers været i mange teatre på kontinentet, man forbyder dem måske at gå i teatret, jeres kvinder, man kunne risikere, at de begyndte at tænke eller hvad?

Han får ikke svar med det samme, men så siger fotografen, at det jo måske ikke lige er teaterliv, der er mest af i de dele af verden, hvor de fleste af disse kvinder bor. Jeg taler om muslimske kvinder på kontinentet, for eksempel i Paris, hvor du bor, siger Hjálmar. Fotografen kigger på nogle højdedrag uden for vinduet, som om han er ved at vurdere, om de kan udgøre et godt motiv, får øje på en gård og liver op, derinde bor man godt, hvis man vil på bondegårdsferie, siger han og peger, vil tydeligvis gerne skifte samtaleemne.

Asfalten slutter, da de drejer til højre op ad en smal og hullet grusvej, Hjálmar sætter farten ned for at skåne sin smukke, sorte firehjulstrækker. Landskabet ændrer sig, da de kører op over højsletten, bliver mere øde, klædt i matte grå og brune farver, men enkelte grønne pletter hist og her giver løfte om, at en grøn dal venter dem, når de er kommet ned fra højderne.

Hjálmar får en anden idé, spørger om det ikke er erotisk pirrende at tænke på, at der er en fristende kvindekrop under burkaen, mens man samtidig ved, at man ikke har nogen adgang til den, er det ikke derfor, I lader dem gå i de dér kjortler?

Fotografen ser forundret på ham, siger hvabehar, er ikke sikker på, om han har forstået det engelske korrekt, så Hjálmar gentager sit spørgsmål. Gør sig meget umage og taler med eftertryk. Svaret, som han omsider får, er særdeles høfligt, fotografen er desværre ikke bekendt med de følelser, som Hjálmar taler om.

Samtalen bliver ikke længere. Hjálmar har lyst til at spørge, om han ikke syntes, at hun var sexet, hans tidligere kone, hende, som han fotograferede i metroen, men behersker sig. Ellers vil deres plan gå i vasken.

De er begge tavse resten af vejen.

Der ligger et tågeslør over fiskerhytten.

Fremragende fiskevejr, tænker Hjálmar og lyser op et øjeblik.

Finnur og Gylfi står med hver sit kaffekrus i hånden ude på terrassen, da de kører op foran hytten. Finnur væder læberne med tungen, da han ser dem komme.

Sløret løftes pludseligt. Mens de er ved at gøre reglerne klare for fotografen, om hvordan han skal gebærde sig nede ved floden, hvor han skal stå for at få det bedste billede, netop i det øjeblik letter tågesløret, og solen bryder frem. Hjálmar bander, da han ser ud ad fiskerhyttens vinduer, hans bror brummer noget, Finnur hæver øjenbrynene, siger, at solen ikke holder længe, det vil begynde at regne hen under aften.

Fotografen ser sig omkring, stum af beundring, forventningen lyser ud af hvert eneste træk i hans ansigt, hans glæde over endelig at være kommet ind i det allerhelligste er uforfalsket. Er næsten gråden nær af bevægelse, da han får anvist det sted, hvor han skal sove. Sin bagage, en stor rygsæk, lægger han på sengen ligesom for at sikre, at der ikke kommer nogen og tager hans plads. De andre fortsætter med at give ham oplysninger om floden, advarer ham mod stejle klipper og stærk strøm, minder ham om at gå forsigtigt ved høllerne, ikke skræmme fiskene, helst efterlade sin telefon i fiskerhytten, det er skikken her, være godt klædt på, det kan blive iskoldt ved floden, når solen forsvinder, også selvom han ikke selv vader ud i vandet, men måske kan han få lov at låne Gylfis støvler, selvom de er et nummer for store, han kan få våde fødder af at rende sådan rundt ved floden og uanset hvad, så skal man ikke have kondisko på, hvis man vil færdes ved floden. Men de får ham på ingen måde til at tage uldne underbukser på under cowboybukserne, han siger, at han vil få det alt for varmt i den slags tøj.

Ja, det er varmt, blodet, der ruller i årerne på jer, der kommer sydfra, siger Hjálmar, det er måske derfor, at jeres kvinder er nødt til at gå i kutter, så blodet ikke koger over.

Hvad er nu det for noget snak? siger Finnur undrende. Men Hjálmar fortsætter, siger, at han ikke forstår, hvorfor man ikke må tale om det, eller er du, siger han og vender sig mod Finnur, er du på noget tidspunkt på dine koncertrejser i udlandet stødt på kvinder inde i koncertsalene, som bar tørklæde?

Nej, svarer Finnur kort for hovedet. Han synes at være mere interesseret i fluerne, som han er ved at lægge i orden igen i sin lille, flade æske, end han er i kvinders hovedbeklædning. Præcis som jeg tænkte, siger Hjálmar, de bliver forment adgang til kunsten.

Finnur holder en flue op mod lyset, studerer den nøje, siger så, at hans mor altid har dækket håret med et tørklæde for at skåne det mod mados og damp. Tilføjer så, og ser fast på sin nevø, hun brugte silketørklæder ved særlige lejligheder.

Mens Finnur tager sig af fluerne, lægger brødrene madpakkerne ned i madboksene. Sandwicher, tørfisk, smør, chokoladekiks, øl til Hjálmar, portvin til Finnur, cola og kaffe til Gylfi. Hvad drikker du? spørger Gylfi fotografen. Han siger, at han drikker vand og måske kaffe. Ser man det, siger Hjálmar, må I nu heller ikke drikke alkohol?

Det er blevet temmelig åbenlyst, hvem det dårlige humør skal gå ud over.

De har en anden kultur, siger Finnur alvorligt. Han er begyndt at frygte, at Hjálmar skræmmer manden væk. For at bøde for Hjálmars ondskabsfulde opførsel klapper han fotografen let på ryggen og siger, nå, knægt, hvad synes du så om vores land? I samme øjeblik kommer han i tanke om, hvordan manden ifølge Dúi havde klappet ham eller strøget ham over ryggen. Han bliver forfjamsket.

Men fotografen udtrykker sig i lange, smukke vendinger om landet, siger, at det er så farverigt og storslået, at han knap kan vente med at stå op om morgenen, fordi han så gerne vil ud at fotografere det. De spørger, hvor han har taget flest billeder. Han siger, at han har været på sydkysten, tæt ved havet, for at fotografere fiskerne og livet ved havet, men på det sidste er han taget herover vestpå, hvor fjelde og dale mødes i et gådefuldt lys.

De lytter tavse til ham, så siger Finnur, han går meget op i detaljer, hvilken bil kører du i? Fotografen siger, at han bare har kørt med bus og med varevogne, det er så udmærket, chaufførerne ved alt om landet, kender de gode steder, sætter ham af hér og dér og samler ham så op på tilbagevejen.

Finnur ser hurtigt over på Gylfi. Du kunne da godt have lånt fyren en bil, ryger det ud af ham. Det havde jeg ikke lige tænkt på, siger Gylfi efter et øjebliks tavshed. Siger med et træt udtryk i ansigtet, skal jeg altid sørge for alle andre, fordi jeg har penge?

De går ud på terrassen, iklæder sig waders, brødrene tager deres veste og kasketter på, stikker briller og fluer i inderlommen, fotografen danser omkring dem med kameraet. Finnur retter på slipset, tager sin bløde hat på, siger så i en munter tone, at hvis han får taget nogle ordentlige billeder af dem, lystfiskerne, så kunne det godt være, at han ville låne ham sine waders og fiskestangen. De må bare vente og se, men billederne skulle være gode.

Han klapper ubevidst let på sin jakkelomme.

Så siger de nå et par gange, inden de går af sted ned mod floden. Går tre sammen med tunge, taktfaste skridt og bøjede hoveder, bærende på fiskestængerne og madboksene.

Fotografen går bagefter med støvlerne i hånden, sætter dem indimellem fra sig, så han kan have begge hænder på kameraet.

Han fik ofte et lift med mig, når jeg stoppede ved tankstationer for at få en hurtig bid mad. Som om han havde taget bussen dertil og derefter har villet spare lidt penge ved at forsætte på tommelfingeren, han har været helt flad, den stakkel. Jeg havde ikke noget imod at tage ham med, så havde jeg en at tale med, man kan godt blive træt af alt det skråleri i radioen. Jeg spurgte ham engang, hvordan det kunne være, at han havde sådan et dyrt kamera, for det var sørme ikke så lidt af et apparat, og alligevel var han nødt til at tomle i stedet for at leje en bil ligesom de andre turister. Så grinede han bare og sagde, at han havde fået det til en god pris på det sorte marked. Mon ikke det har været tyvekoster, uden at jeg dog skal kunne sige det med sikkerhed. Nå, men jeg kender naturligvis området her ud og ind, er vokset op her, så jeg kunne fortælle ham, hvor man finder de bedste floder, han var enormt interesseret i dem. Jeg satte ham så af de rigtige steder og fortalte ham, hvornår jeg cirka ville være på vej tilbage, nogle gange var det nu ikke før dagen efter, og så mødte han altid op. Havde så bare overnattet på en gård et sted. Jeg tror, fyren har været ganske smart, vidste lige præcis, hvordan han skulle kringle den. Han var jo lidt mørk i det, men altså ikke rigtig sort, forstås, han var bare en køn knægt, ja, faktisk en fandens flot fyr. Vi talte nu ikke så meget sammen om personlige ting, det var der ikke meget af, men én gang fortalte jeg ham om min kone, jeg kan ikke rigtig huske hvorfor, og så sagde han, at han ikke var gift, men boede hos sin mor i Paris, og så snakkede vi lidt om det, han sagde, at han havde fået nok af byer, kunne bare ikke holde dem ud længere, ville helst bare være ude på landet, måske bare hér, tror jeg, ville bare gerne være bonde eller noget, nej, jeg ved det ikke, men han overvejede meget at flytte hertil, tror jeg, at dømme ud fra hans spørgsmål. Og så var han så kolossalt begejstret for vores floder, kunne bare ikke holde op med at tale om dem, mon ikke han bare gerne har villet bo ved en af dem, hva', det kunne du godt bilde mig ind.

13

Fiskerhytten slumrer i eftermiddagssolen.

Det ser ikke ud til, at der sidder nogen og spiser, eller at der er andre fysiske behov, som bliver opfyldt i øjeblikket, men Nanna tager ingen chancer, tager briller på, så hun bedre kan se, venter et godt stykke tid, lytter, skæver til højre og venstre. Hjálmars sorte firehjulstrækker ser også ud, som om den står og hviler sig i det stille vejr. Gylfis bil har hun stillet bag bakken ved sidevejen, hvor den ikke kan ses fra huset, så hun lige så stille kan forsvinde igen, uden at nogen lægger mærke til hende.

Mens hun lå på hotelværelset og ikke kunne falde i søvn, havde hun grublet over begge muligheder, om hun skulle ringe fra hotellets telefon eller vente med at ringe, til hun havde fået fat i sin egen. Efter mange spekulationer valgte hun den anden mulighed, så kunne hendes far se, at det var hendes nummer og kunne ringe hende op, hvis hun i sidste øjeblik tabte modet og lagde på, inden han nåede at svare. Hun kunne mærke, at hun var nået til et kapitel i sit liv, som hun ikke kunne springe over. Det var en gåde for hende selv, hvorfor hun i tankerne søgte mod sin far og sin oprindelse, havde ingen holdbar forklaring på det bortset fra, at det sikkert skyldtes alder. Det var også så rart at kunne skyde skylden på den for alt, som ikke var ønskværdigt, fikse idéer, selvmedlidenhed, smålighed. Når man var kommet midtvejs i livet, var man også nødt til at se tidens endeligt i øjnene. Hendes far ville ikke leve for evigt, hun burde finde ud af, hvorfor han forlod hende, høre det af hans egen mund. Måske kunne han komme med noget, der kunne tjene som en undskyldning.

De er nede ved floden, som hun også havde haft fornemmelsen af, at de ville være, huset er tomt.

Hun kan hente sin telefon og forsvinde igen med det samme. Hun spejder efter den i stuen, kan ikke huske, hvor hun har lagt den, men kan ikke undgå at lægge mærke til, hvordan der ser ud i hytten. De har efterladt kaffekrus på bordet, fladbrød på en tallerken, beskidt service i vasken, har ikke kunnet tage sig sammen til at sætte det i opvaskemaskinen. Hun sukker, er nødt til at beherske sin trang til at rydde op. Så kommer hun til at kaste et blik ud ad vinduet, ser noget bevæge sig ved klipperne nede ved floden. Det forekommer hende at være et usædvanligt sted for lystfiskere at stå. De står ikke oppe på klipperne, når de fisker, så meget ved hun. Hendes nysgerrighed er vakt, hun griber kikkerten, som ligger på hylden ved siden af fiskebøgerne, får så øje på sin mobiltelefon på hylden, tager den lettet til sig, går derefter hen til vinduet og indstiller kikkerten.

Manden vender ryggen til hende, men hun kan med det samme se, at det ikke er Gylfi, det ville heller ikke ligne ham at stå oppe på klipperne. Hun hælder til, at det er Hjálmar snarere end Finnur, kropsbygningen tyder på det. Han står bøjet over noget, som han har i hånden, ser ud til at studere det nøje. Så bøjer han sig helt ned, lægger sig fladt ned på kanten af klippen med tingen i hænderne, det ser ud til at være en kikkert. Stillingen, han ligger i, ligner den, man benytter, når man vil studere fugle. Det ligner ikke Hjálmar at beskæftige sig med andre ting, når floden ligger for hans fødder, hun mindes heller ikke, at han har udvist nogen særlig interesse for fugle.

Hun er nået halvvejs tilbage til bilen, da hun standser op og er nødt til at give efter for sin trang. Hun har lyst til at kigge lidt længere på Hjálmar. Uden at han ser, at hun kigger på ham. Gruble lidt over ham. Så hun giver efter og følger den smalle sti ned til klipperne, det er kun hende, der kender vejen gennem krattet, går lidt bøjet, så hun ikke kan ses , dukker hovedet, så det bliver skjult af de små birketræer. Da hun kan se ham ordentligt med brillerne på, stiller hun sig tilfreds med det. Står stille, fingererer lidt ved en gren, hun kan ikke se hans ansigt.

Da han rejser sig halvt op og vender sig om, så hun ser ham fra siden, går det op for hende, at det er et kamera, han har i hånden og ikke en kikkert. Hun kan også se, at profilen ikke er Hjálmars. Det her er en mørklødet mand. Det er fotografen, udlændingen. Hun bliver så befippet, at hun per refleks lader sig dumpe ned på en tue.

Hvad pokker laver han her, tænker hun. Spekulerer på, hvad hun egentlig skal gøre. Skal hun gøre dem opmærksom på, at han fotograferer dem uden at have fået lov, eller skal hun blande sig udenom? Mens hun tænker sig om, hører hun lyden af stemmer nede fra klipperne. Hun stikker hovedet op over krattet, så hun kan se, hvem der kommer. Det er Finnur, i fuld krigsudrustning. Han gør tegn til fotografen om at følge med, sammen går de ned ad den stejle bakke og forsvinder ud af syne.

Ofte varsler små stens fald et større skred.

Finnur mumler for sig selv, da gruset skrider under ham på skrænten, kaster et blik bagud på fotografen, siger, at han skal gå forsigtigt. Men fotografen er blevet vant til lidt af hvert efter at have strejfet om i landet, han smiler bare. Han har et usædvanlig godt humør, den mand, tænker Finnur. Han spørger, om han har fået taget nogle gode billeder. Fotografen siger, at han har taget billeder af dem alle sammen, mens de fiskede, men han vil dog gerne have nogle bedre nærbilleder, fange deres ansigtsudtryk, når laksen bider på, men for at få det, er han nødt til at komme længere ud i floden, han er ikke kommet ret langt i støvlerne. Men han har taget nogle gode billeder af selve floden oppe fra klipperne, en slags oversigtsbilleder. Han har både sit kamera og sine kondisko hængende om halsen, har bundet snørebåndene sammen.

Finnur lader ham følge med ned til sin fiskeplads ved den nedre del af strømfaldet. I en lavning tæt ved floden ligger hans madpakke, han fører fotografen derhen, vender sig om mod ham, siger, at han har tænkt sig at lade ham få fiskestangen i en halv time eller deromkring. Fotografen begynder at lade munden løbe af bar spænding, taler så højt, at Finnur er nødt til at tysse på ham. Siger, at floden er følsom som en kvinde, tager alt personligt, så han må passe på ikke at skræmme den med højlydt snakken. Det er bare et påskud, han orker ikke at lytte til andre, mens han selv bryder hjernen.

Finnur tager sine waders af og siger til fotografen, at han kan smutte i dem. Det tager et godt stykke tid, fotografen har ikke set den slags udrustning før, han gnider og maser og trækker i wadersene, er nødt til at spørge om så meget, at Finnur til sidst føler sig tvunget til at holde en tale om lystfiskerudstyr. Hvilket han langt fra synes er kedeligt. Han fortæller ham, hvad forskellen er på den ældre og den nyere type waders. Han selv og Hjálmar bruger den ældre type, som man snører sammen i livet, Gylfi bruger derimod den nye type, som går højere op og er udstyret med seler. Hjálmar har sine gamle waders på af ren og skær overtro, han har altid fisket så godt i dem. Selv har han tænkt sig at bruge de gamle, så længe de holder, han synes, det er unødvendigt at smide noget ud, som der ikke er noget galt med. Selvom Gylfis waders måske nok er bedre, er der dog den hage ved dem, at hvis de bliver fyldt med vand, pustes de op som en ballon og holder så fødderne oppe, men hovedet nede. De gamle bliver naturligvis også tunge, hvis de bliver fyldt med vand, og trækker folk ned, men hovedet vender da i det mindste opad, for pokker, slutter Finnur sin oplysende tale og stikker fødderne i støvlerne.

Herefter skal fotografen lære at kaste. Det kommer bag på Finnur, hvor dygtigt fotografen håndterer fiskestangen, og han nævner det for ham. Fotografen siger, at han har haft en fiskestang i hånden før, det har bare været nogle andre fisk. Finnur sætter sin bedste flue på, og fotografen vader selvbevidst ud i floden, kaster behændigt linen ud i retning af vandfaldet, ligesom Finnur har sagt, han skulle.

Finnur tier, sætter sig ned på bredden. Giver ham lov til at bakse lidt med det selv. Han har besluttet sig for at veksle et ord med fotografen, inden de to brødre kommer i kontakt med ham. Han fornemmer den kolde luft mellem brødrene og frygter også, at Hjálmars temperament løber af med ham, hvis diskussionen skulle komme ind på forskellige trosretninger og især på den, som angår fotografen. Man får aldrig sandheden ud af folk ved at bruge vold. Finnur tvivler også på, at brødrenes spørgsmål vil være præcise nok til at have nogen værdi, folk har tendens til at afbryde hinanden for at tage ordet, hvis de har meget på hjerte, og på den måde forkludrer de sagen.

Fluen danner et forførende v-formet mønster i vandoverfladen, fisken snapper den i luften under et spring, som aldrig synes at få ende. Finnur springer op som en trold af en æske, glemmer fuldstændig sine egne forskrifter om opførsel ved floden, stormer frem og tilbage på bredden, vader så langt ud i floden, som støvlerne tillader, rabler instruktioner til fiskeren af sig. Hvilket tilsyneladende er tiltrængt. Fotografen ryster af spænding. Det lykkes ham at lokke fisken til hug lige på kanten af vandfaldet, hvor den tager i et lodret spring ud af vandet. Finnur er ophidset, råber ordrer til ham hele tiden, du skal ikke holde den så hårdt, kom her, nærmere bredden, for fanden da også, gå længere ud i vandet, menneske! Det er en lang kamp, de er begge gennemblødte af sved. Omsider får de landet den, en stor han, som havde tænkt sig at nå længere her i livet. Hvilket den får lov til, det sørger Finnur for. Fotografen er halvt om halvt sur, de fisk, man har fanget, skal man efter hans mening spise, han forstår ikke Finnurs filosofi om at sætte dem ud igen.

Finnur byder på kaffe og tørfisk, da kampen er slut. Hans lektion i lystfiskeri som videnskab er ikke slut, han mangler epilogen, han holder et foredrag om at fiske. Det meste af det går hen over hovedet på fotografen. Han afører sig waderse-ne med en fortrydelig mine og tager sine kondisko på, han er ude af sig selv af glæde efter sin præstation, derfor hører han kun nogle enkelte ord af, hvad der bliver sagt.

Så falder der ro over dem begge, og Finnur rømmer sig nogle gange. Det er blevet tid til forhøret. Tallene skal stemme uanset hvad. Han hiver billedet op af lommen, rækker det til fotografen og spørger, hvorfor han har taget det billede.

Da fotografen er kommet sig over dette uventede udspil, bruger de tiden på at tale om fundet af billedet, som Finnur har gjort rede for, og han lægger ikke skjul på noget, da han forklarer om sit besøg i kælderen. Fotografen bliver forskræk-ket, han stammer, da han fortæller om Dúis uforståelige opfør-sel, han havde længe efter været helt mørbanket af alle slage-ne, men psykisk havde han haft det endnu værre, han forstod ikke, hvad han havde sagt eller gjort, som havde gjort manden gal.

Finnur, der ved mere, end man umiddelbart skulle forven-te, om etniske problemer og menneskelige relationer, uden at han dog skilter med det, vil ikke begynde at udbrede sig unød-vendigt meget herom, billedets tilblivelse er det allervigtigste. Han spørger igen, hvorfor han har taget billedet. Fotografen ser på billedet, ryster rådvild på hovedet, siger så omsider: modsætningerne. At se dem sidde dér sammen, han så mørk-hudet, hun så hvid, og manden, som stod ved hendes side, var endnu hvidere. Som fotograf var jeg nødt til at indfange dem på et billede.

Mandens behov for at indfange begivenheder på papir el-ler på et billede er ubestrideligt. Det ved Finnur godt, men spørger derefter om, hvordan han har kunnet vide, fra hvilket land disse hvide mennesker kom, og hvorfor han er fulgt efter dem hertil. Fotografen siger hurtigt: Manden havde en lille rejsetaske med sig, og på navneskiltet kunnet jeg se hans navn og navnet på hotellet, det vil sige, ikke hotellet, som de boede på, mens de var i Paris, men hotellet, som jeg boede på hér, da jeg lige var kommet til landet. Jeg stod af toget det samme sted som dem og fulgte efter dem et kort stykke, eller indtil de gik ind på deres hotel. Bare for bedre at kunne se, hvad der stod på navneskiltet.

Finnur tier med udtryksløst ansigt. Fotografen kan se, at han ikke forstår hans hensigt, smiler, ryster derefter undskyldende på hovedet: Der er så meget, som vækker ens interesse som fotograf. For eksempel modsætningerne dér i toget, farverne, men så var det også deres opførsel, som vakte min interesse. De udstrålede en form for selvtillid, som var på kanten af at være arrogance. Det var ikke den slags arrogance, som hvide mennesker ofte udviser over for mørkhudede mennesker, eller mørkhudede udviser over for hvide, slet ikke, de var begge venlige og høflige mod de folk, der var omkring dem. Det var, som om denne selvtillid eller arrogance boede inden i dem. Det vakte min nysgerrighed. Jeg ville gerne vide, hvem de var, hvor de kom fra, jeg ville gerne vide, hvilke omgivelser den slags folk boede i, som havde så besynderlig stor selvtillid. Derfor kom jeg hertil, for at se det hvide folk i nord, fotografere det.

Vi er nu ikke særlig hvide, siger Finnur tørt efter lang tids tavshed. Men passer på ikke at tabe tråden, ikke at give slip på de nøje gennemtænkte spørgsmål, selvom de ganske vist ikke var meget værd efter de seneste oplysninger og ikke hang sammen med den afhørtes personlige bekendelser. Han spørger, om han tilhører et trossamfund eller en naturorganisation, som har interesse i landet og måske vil slå sig ned her. Og tilføjer så hurtigt, og lyver for at fremskynde sandhedens time: Hvis det forholder sig sådan, er vi naturligvis klar til at yde støtte.

En tid lang ser fotografen på ham, udtryksløs og med halvåben mund, han virker bestyrtet over det sidste spørgsmål, ryster så på hovedet, siger, at han ikke kender noget til den slags. Siger så, da han møder Finnurs undersøgende blik, at han såmænd godt kunne tænke sig at slå sig ned her og komme herop med sin mor, bedstemor og bror.

Finnur tygger på sin tørfisk og de seneste oplysninger et godt stykke tid, inden han slynger det afsluttende og, efter hans mening, vigtigste spørgsmål ud. Han spørger uden omsvøb, om han har udsat Gylfi for pengeafpresning, og hvor højt beløbet har været.

Det er tydeligt, at Finnurs spørgsmål kommer fuldstændig bag på fotografen. Så Finnur tilføjer hurtigt: Du må da være bekendt med, at det er Hjálmars tidligere kone, som Gylfi er sammen med på billedet?

Fotografen måber stadig, som om han er helt væk og uden for rækkevidde.

Finnur kan se, at han vist ikke kommer længere med manden i denne omgang. Han tager sine waders på uden at sige et ord. Han skal til at gå ud i floden, hvor han har tænkt sig at stå og reflektere over resultaterne af forhøret, især over de nye oplysninger, som drejer sig om hoteller. Glemmer dog ikke verdensborgerens høflighed, siger i en let tone til fotografen, at nu må han nok hellere fortsætte med at fiske, det ser ud til at blive støvregn, ser tilfreds op mod himlen og trækker vejret dybt, vender sig mod manden og spørger, om han ikke har tænkt sig at fortsætte med at fotografere. Han ser efter fotografen, hans ryg afslører ikke meget. Han har ladet støvlerne stå på bredden.

Fuglen skriger over høllet.

I samme øjeblik slipper laksen fra Gylfi. Han skyder skylden på fuglen. Men det er også, som om laksen ved, hvordan den skal komme fri på dette sted, utroligt nok. Og ikke nok med det, selvom den ved, at det er en kamp på liv og død, vover den sig alligevel tæt på, som om den af bar spænding ikke kan beherske sig. Ikke i højere grad end manden kan. Hvad fanden tænker du dog på, kære laks, grubler Gylfi.

Solen bliver, hvor den er, men man kan dog se på de skyer, der vokser i horisonten, at tæppet snart går ned over primadonnaen. Enkelte fisk viser sig og svømmer rundt i solen, lige under vandoverfladen ved stenene, de andre venter på deres chance, venter på vejrskiftet. Gylfi venter også på det, det er bare om at vente, være tålmodig, spille sine kort rigtigt. Ikke handle overilet.

Stenene oppe ved kløften udgør gode gemmesteder efter fiskenes opfattelse, dog kender de ét, som er bedre, høllet under jordbrinken længere nede ad floden. Der holder de ofte til, som om de ved, at lystfiskere uvilkårligt undgår trange, uanseelige steder, de vil hellere stå på smukke steder. Det var selvfølgelig Hjálmar, der med sin følsomme næse fandt frem til høllet under brinken, kunstneren, der fornemmer alt omkring sig undtagen det, der angår ham selv, brødrene fangede engang en utrolig masse fisk i det ved at stå på de flade klipper på den anden side og kaste deres liner derover. Gylfi beslutter sig for at gå ned til det sted, hvor høllet er, være på stikkerne, hvis vejret pludselig skulle skifte, for så er der håb om, at fiskene får ilt og ophidses ligesom mennesker gør, når de bliver berusede.

Han går med langsomme skridt og med sin stang og madkasse i hånden ned langs floden, han ved, at Hjálmar står længere oppe, Finnur længere nede. Han har ingen idé om, hvor fotografen opholder sig. Han standser op, spejder rundt til alle sider, ser ingen bevægelse nogen steder, der er intet, der rører sig, bortset fra vandet i floden. Og han betragter sin flod.

Ser, hvordan den bugter sig ned til kløften og igennem den, hvordan det krystalklare vand tumler sig hen over stenene, hvordan vandet skvulper op ad klipperne på både højre og venstre bred som for at drille dem, disse kæmper, der ikke kan flytte sig ud af stedet, hvordan den stærke strøm beslutsomt styrter sig ned gennem kløften, næsten utålmodigt, som om den forventer, at der venter den noget spændende, når vandet bliver presset sammen, ser, hvor overgivent vandet bryder ud, når det kommer ud af indsnævringen.

Han lægger uvilkårligt hånden på hjertet og trækker vejret dybt nogle gange som for at lade de varmeste følelser slippe ud. Farverne omkring floden er det næste, der fanger hans opmærksomhed, hvordan de ligger i lag efter lag, hvordan den grønne farve bliver skiftevis lysere og mørkere, langsomt opsuger den gule farve, den brune og den røde, baggrunden pyntet med enkelte violer hist og her. Gylfi er overvældet, er nødt til at sætte sig ned på en tue og trække vejret dybt, mens han indprenter sig floden og farverne. Det billede vil han bringe med sig, når han møder sin skaber.

Han har siddet der et øjeblik, da der pludselig dukker et andet billede op i hans tanker. Et billede, som han helst havde villet glemme. Men det er der, billedet af ham og Ása. De mangler at spørge nærmere til fotografens hensigter, at finde ud af, hvad han havde for. Men hvad havde Finnur for, hvorfor stak han billedet op i hovedet på de to brødre i begyndelsen af fisketuren? Han kunne da godt have ventet, til fisketuren var slut. Finnur skulle ikke have tvunget ham til at bede fotografen om at komme herop til hans flod, de kunne lige så godt have ventet med at tale med manden, til de var kommet hjem. Finnurs evindelige præcision og pedanteri kunne være trættende. Han kunne måske også have sagt sig selv, at billedet ville afføde en reaktion fra Hjálmar, og at fisketuren dermed ville blive ødelagt. Hvilket den heldigvis ikke blev, Hjálmar synes ikke at nære de store følelser for sin tidligere kone. Men der var jo det dér med en mands stolthed og ære. Det var ikke noget, man sådan lige kunne blive klog på. Og der var noget, der rumsterede i hovedet på Hjálmar, det fornemmede han, men det kunne være noget i forbindelse med hans job, måske havde han ikke fået den rolle, han gerne ville have, kunstnere var følsomme og allermest optaget af sig selv, levede i en anden verden, som de ikke kunne komme ud af, opdagede ikke, hvad der foregik lige for næsen af dem i det kedelige, begivenhedsløse hverdagsliv. Måske var det ikke så dumt, det, som hans mor engang havde sagt til ham: Når sandheden befinder sig lige for næsen af folk, ser de den ikke.

Han stirrer på floden, tænker på sin mor. Savner hende altid. Så kommer han i tanke om, at Nanna har ytret ønske om, at floden skulle testamenteres til Senna, så den ikke ender i hænderne på nogle andre, når han ikke selv er mere. Men det har han stadig ikke gjort. Og har ikke tænkt sig at gøre. Senna interesserer sig ikke det mindste for at fiske og heller ikke for forretninger, det har han for længst indset, hun ville ikke engang kunne leje floden ud med et ordentligt afkast efter hans død. Han har andre planer med floden. Den vilje har han snarest tænkt sig at slå fast i sit testamente. Når det bliver afsløret, er han død, så kan folk hidse sig op, som de vil.

Tanken om folks ophidselse leder hans tanker videre til billedet, som fotografen tog, og til alt det vrøvl, der er blevet sagt om det. Han er nødt til at tage det fra Finnur, snuppe det fra hans jakkelomme, når han ikke ser det, hans egen iver efter at fiske har forhindret ham i at tænke logisk og disponere rigtigt. Det hele falder på plads i hans hoved, da det går op for ham, at billedet selvfølgelig stadig lever i fotografens mobiltelefon, og at han udmærket ved, hvor den er, og at det ikke er noget problem at fjerne det pokkers billede, og i samme øjeblik, hvor dette står klart for ham, begynder det at regne. Dråberne falder på hans kasket.

Der går en svag skælven igennem ham. Der er sket det omslag i vejret, som han har ventet på. Nu sejler de, høvdingerne, nu får de ilt og viser deres kræfter, nu er tiden inde. Han ser op mod fiskerhytten, forsøger hurtigt at regne ud, hvor lang tid det vil tage ham at smutte derop, slette billedet, skynde sig tilbage igen, indser, at det vil tage for lang tid, og tiden er alt for dyrebar. Hvis han vil have fat i fisken nu, er han nødt til at skynde sig ned til høllet med det samme. Han må tænke på telefonproblemerne senere, og de løser sig vel også ligesom alt andet.

Han haster af sted, han har tænkt sig at skovle dem op, måske beholde nogle stykker, om ikke andet så for at se sine kammeraters ansigtsudtryk, som anser sig selv for at være bedre lystfiskere end ham, selvom de ikke siger det direkte, ærgerligt, at han ikke kan få fat i fotografen, så han kunne tage nogle billeder af det, af ham, der kaster, den store bue, han laver, laksene sprællende i forgrunden, det er de allerbedste billeder, hvor fanden var han egentlig, var han ikke blevet inviteret herop for at tage billeder af ham?

Strømmen er stærk ved de øvre høller.

I det lange løb sætter den selv modige lystfiskere på prøve, folk, der kan kaste på en sådan måde, at andre ser væk af bar misundelse. Hjálmar befinder sig i en drømmedøs under den overskyede himmel, har fanget elleve laks med sine fluer. Han havde ikke selv forventet andet, floden myldrer med fisk, når den mærker, han er nær. Han behøver ikke at slås med den eller jage fiskene, der er hele stimer, der jager ham. Fuldstændig uforståeligt, havde Finnur engang sagt, da statistikken ikke passede på hans nevø, men han tog aldrig højde for Hjálmars udholdenhed og stædighed.

Han har sat alle ud undtagen tre, de ligger lyserøde og sølvskinnende på den grønne brink, har taget deres sidste tur til den smukke gydeplads. Ud under sin kasket og briller ser Hjálmar fotografen liste sig af sted med sit kamera ned mod den sølvfarvede fangst. Han lader, som om han ikke ser ham, skæver dog indimellem til ham.

Han gider ikke tage notits af manden, håber bare, at han snart går igen, han bliver i dårligt humør af at have ham i nærheden. Forstår dog ikke hvorfor, stønner over sin egen humørsyge og tænker resigneret på, hvordan han bliver, når han kommer i overgangsalderen.

Men der er noget ved fotografens attitude, som han ikke kan fordrage. Hans konstante sindsligevægt og evindelige smil, måske bare hånlige smil, gør ham mistænksom, især når der er tale om en efterkommer af kvindeundertrykkere. Han synes ikke, det passer sig for dem at smile hånligt. Da han forsøger at definere sin antipati nærmere, kommer han frem til den konklusion, at han måske har studeret for mange mennesketyper. Den dybeste følelse han har, vil han ikke vedkende sig, han synes, den er for sentimental. Han frygter manden. Det er, som om han fornemmer ham som et varsel om noget ondt, der er på vej. Det lyder, som noget en spåkone ville sige. Under hans værdighed. Og dog, dukkede den satan faktisk ikke op som Fanden selv, fuldstændig ud af det blå? Havde hans mor ikke kaldt ham Loke? Han ryster let på hovedet, jeg er blevet tosset af alle de skuespil.

Han kigger hastigt over på fotografen, ser, at han nu ligger på maven på brinken, ser ham strække en hånd ned i floden, fylde et lille glas med vand. Så sætter han sig op, skruer et låg på glasset. Samtidig med at han stikker det i lommen, mødes deres øjne. Fotografen smiler et øjeblik, vil rejse sig og gå med glasset. Nu er det nok, Hjálmar bliver irriteret, vil vade i land, men naturen griber ind.

Øjeblikket bliver revet ud af hans hænder.

Hans fiskestang bøjer sig, fisken bider voldsomt på. Hans tanker om manden oppe på brinken opløses og svinder bort på et øjeblik, han ser kun linen, vandet, fisken, det koger inden i ham, han trækker vejret hurtigt, hans bryst er ved at sprænges. Det er en ordentlig kraftkarl, en kamplysten djævel, som udfordrer ham til duel, og han tager udfordringen op, vil ikke rykke sig en tomme, her skal kæmpes til sidste blodsdråbe, to vildmænd, som er ligeglade med udfaldet. Han er nødt til at holde linen, passe på, at den ikke bliver revet over, forsøge at bruge sin fornuft, huske teknikken, det her er øjeblikket, som han længes efter hele året, som hans tanker kæler med, når han skal prøve at falde lidt ned efter en hård kamp på scenen, han ser det altid for sig i detaljer, men det viser sig bestandigt at være anderledes, når det kommer til stykket. Af og til springer laksen, den smukke fisk, hvis gæller gennemstrømmes af hele verdenshavet. Den har taget floden i sin besiddelse, har tænkt sig at forsvare området, drive fjenden i knæ. Hvilket næsten lykkes den, Hjálmar er helt krumrygget af anstrengelse, han har fråde om munden. Laksen ved, hvordan den skal udmatte fiskeren, det er, som om den har øvet sig på det længe, den satan, den ved til fulde, hvordan den skal spille sin rolle.

Kampen er i gang på anden time.

Fisken springer op af vandet, river og flår i linen, rykker den over. Hjálmar står tilbage med fiskestangen, kigger på den overrevne line, det elendige bras, som underdanigt snor sig hen imod ham, hans hænder ryster. Han står stille i floden, kigger udmattet ned i vandet, klarer tankerne. Han blev besejret, han tabte kampen.

Floden morer sig, den er i et strålende humør, jubler over skuespillerne efter kampen med en brusende, legende strøm, Hjálmar vakler i land. Han lader sig dumpe ned på bredden, ser først da, at det er begyndt at støvregne. Himmel og jord har forenet sig i et gråt skær, har udvisket alle andre farver, jaget fuglene bort, han føler sig ladt helt alene tilbage på jorden.

Han har ikke kræfter til at række ud efter madboksen, til at snuppe en øl fra den, selvom han er tørstig. Hans mentale styrke er ved at slippe op, han føler, han flakker rundt i en labyrint, hvor man ikke kan finde en eneste udvej, hvor der ikke er en bænk at sætte sig på nogen steder. Nederlaget i kampen med laksen volder ham ingen sorg, de er vant til at prøve kræfter med hinanden, ved, at kampen aldrig kan slutte anderledes end med den enes sejr.

Der er et andet nederlag, som gnaver i ham, som han ikke umiddelbart kan definere. Han ser ud i støvregnen, prøver om han kan skelne klipperne nedenfor, men øjet opfanger ikke noget billede. Hans tanker er dog fyldt med billeder, han mangler bare at få dem op på scenen. Arrangere de forskellige akter, give sig selv hovedrollen og derudover have én biperson med i hver akt for sig. Der er ikke andre måder, han kan få styr på sine tanker, han er nødt til at give sig selv en rolle, dét kan han.

Som så ofte før i teatrets historie er det bipersonerne, der stjæler scenen. Hans bror træder som den første ind på scenen, uden rigtig at være blevet inviteret, han ville have Nanna derop først. Med al sandsynlighed er det Gylfi, som er årsag til den største konflikt, skjult vrede, han har lyst til at slå ham, han ser den for sig, kampen på scenen. Hvorfor? Han har for længst slået sig til tåls med hans materielle overlegenhed, stodderen ejer det hele, hoteller, jorder, huse, biler, den bedste kvinde, men Hjálmar ved, at selvom han havde haft valget, ville han ikke have levet sin brors liv. Han vil være kunstner, uafhængig og fri for tyngden af byrder som ejendom og rigdom. Han ville dog gerne have Nanna. Det er netop sagen, han ville gerne have hende. Have et hjem sammen med hende og sine børn.

Vreden er af en anden art, han har det, som om Gylfi har plettet hans ære. Eller det har han måske ikke? Han er nødt til at fundere over det. Var det måske han egne handlinger, der skabte utilfredsheden, da han opdagede, at han ikke havde noget at tilbyde sine børn, ingen ballast, ingen tryghed, ingen formue? Intet af det, som Gylfi kunne tilbyde sit barn. Dette ene barn, der kom som sendt fra himlen. Og dog, Gylfi havde ikke rigtig gjort ham noget, det var snarere omvendt. Han havde ikke gjort andet end at opføre sig, som om Hjálmar tilhørte en laverestående del af samfundet. Små uskyldige bemærkninger, som ydmygede ham, uden at han dog kunne sætte en finger på hvordan. Måske var det dér, hunden lå begravet. Den opførsel forårsagede måske vreden, som han kæmpede med her på klipperne.

Så kommer han i tanke om noget andet. Respektløshed kan komme af mange ting, én af dem er misundelse. Var det måske misundelse på grund af lillebrorens talent og berømmelse, der plagede Gylfi? Ville han måske gerne selv stå i rampelyset? Var det derfor, han lukkede den udenlandske fotograf ind i sit hjem, ind i kælderen i sit hus, for at lade sig fotografere forfra og bagfra, blive udødeliggjort?

Så kommer Hjálmar i tanke om fotografen, ser sig omkring, hvor forsvandt han hen, den satan? Men det er ikke hans tur,

Gylfi er stadig på scenen. Og det var det billede af Gylfi og Ása. Ejendommeligt tilfælde pludselig at støde på hinanden i en millionby. Ása havde nu faktisk altid halvt om halvt boet i Paris, ligesom Gylfi, det var måske ikke så mærkeligt, at de omsider var truffet på hinanden der. Måske havde de mødtes mange gange, hvem skulle kunne vide noget om det?

Men hvorfor gjorde Finnur så store ophævelser over billedet?

Hjálmar gnider sig i håndfladerne, som stadig er ømme efter kampen med fiskestangen, ser så, at det er begyndt at regne, det lover godt, at der kommer en byge, han rækker ud efter madboksen, åbner en dåseøl. Vreden er så småt ved at aftage, den er mindre nu, det mærker han. Optrinnet med Gylfi er dog ikke fuldstændig afsluttet, men regnen vil have andre skuespillere til at gå på scenen. Han behøver ikke engang at kalde på Nanna, hun kommer, træder op på scenen, og han stiller sig op bag hende. Stryger hende over de hvælvede hofter, hun er så slank, har den her talje, nej, han begynder med at stryge let med fingerspidserne hen over hendes skuldre, ned langs de bare arme, hun får gåsehud af nydelse, hans fingre tegner cirkler på hendes håndrygge, smyger sig så ind i hånden, låser hendes hånd fast i hans, gør sig roligt fri igen, hun trækker vejret hurtigt, hans hænder er nået op til hendes armhuler, der gør de holdt et øjeblik, så lader han dem stryge ned langs hendes bløde krop, tager fat om livet på hende, klemmer lidt, venter, flytter så hænderne ned på hofterne, griber fast om dem, næsten hårdt, trykker hendes balder fast ind imod sin krop, han er begyndt at trække vejret hurtigt, hans krop er kommet i alarmberedskab, det her går ikke. Det går ikke, siger han højt til den omgivende natur, jeg er nødt til at gøre noget ved det her med mig og Nanna.

14

De røde ribs svulmer på stilkene.

Venter utålmodigt på at komme ned i Nannas syltetøjsglas, men hun har andet at se til, inden hun kan tage sig af dem, hun er ved at sikre sig, at hun er alene i huset. Hun banker først høfligt på kælderdøren, så mere bestemt, men ingen af delene giver noget resultat. Naturligvis ved hun, at fotografen er oppe ved floden, hun så ham, eller hun tror sig sikker på at have set ham, men alligevel, hun vil forvisse sig om, at alt er, som det skal være.

Hun går ned i kælderen inde fra huset, bruger nøglen, som passer i alle låse, banker igen på døren, først høfligt, så hårdere og mere pågående, men da intet hænder, stikker hun med beklagelse nøglen i låsen, det ligner hende ikke at trænge sig ind på andres private område, hun er ikke typen, der læser andres dagbøger i smug, men hvis han nu skulle være derinde, men af en eller anden grund ikke vil lukke op, har hun tænkt sig at sige, at hun var bange for, at han var syg eller død og derfor ikke turde gøre andet end at undersøge det. Hvis han på den anden side havde åbnet døren, første gang hun bankede på, havde hun bestemt sig for, hvad hendes ærinde var, jo, hun ville bare høre, om han ikke havde brug for noget rent sengetøj?

Lejligheden er tom, og hun udstøder et stille lettelsens suk. Kan ikke lade være med at se efter, om der er ryddet op, og kan konstatere, at alt er i orden, hun snøfter tilfreds, men bliver i næste øjeblik trist til mode. Det her var tidligere hendes blomsterstue, fuld af smukke grønne og røde potteplanter, stiklinger, bøger i klare farver om havebrug og planter, nu er tomheden kravlet ud i hvert et hjørne, har tilintetgjort alt levende, lejligheden er hende fremmed, hun har det, som om hun aldrig har været her før, det har kun været en drøm. Hun låser efter sig, føler, at hun samtidig låser et rum af i sit hoved, men gør sig dog ikke klart, hvilket rum det kan være.

Men nu kan hun plukke ribsene uden at være bange for, at der er nogen, der holder øje med hende fra kældervinduet, måske endda tager et billede af hendes bagdel, uden at hun opdager det. Hun går med små, hurtige skridt op ad kældertrappen, og til trods for tomheden, som forsøgte at trænge sig ind på hende, føler hun en form for lettelse. Næsten en frihedsfornemmelse, uden at hun dog med sikkerhed kan hævde, at der er tale om en sådan følelse.

Hun kaster et hurtigt blik ind i Sennas værelse, inden hun påbegynder forberedelserne til syltningen, ser, at hun ikke har været hjemme, siden hun tog på den tur med sine veninder, som hun havde talt om. Men Senna ringer sikkert til hende for at beklage sig, når tiden nærmer sig for, at hun skal starte på arbejde igen.

Hun synes, det er bedst at have alting klart, når hun har fået bærrene i hus, have sukkeret parat, gryden på komfuret, hun tager skålen frem, som hun samler bærrene i, en plasticpose, som hun har tænkt sig at hælde bærrene over i, når skålen er blevet fuld, hun vil plukke en ordentlig portion, mange kilo denne gang. Bærrene er usædvanlig modne, årstiden taget i betragtning, det er varmen, der gør det, som regel er de senere på den.

Så ringer hendes mobiltelefon et eller andet sted i huset. Hun ved, at den er i tasken, som hun lagde fra sig, da hun kom ind, kan først ikke huske, hvor hun lagde tasken, løber så efter lyden, som kommer fra entréen. Hun roder i tasken, finder omsider telefonen, flår den op af tasken og svarer stakåndet. Siger hallo mange gange. Efter et øjeblik bliver der lagt på.

Hun ser forbavset på telefonen, som hun holder i hånden, tjekker opkaldslisten og ser en forkortelse, hun ikke kender til. Samtidig får hun øje på andre navne, underlige udenlandske navne, som hun aldrig har set før, og først da begynder hun at kigge på selve telefonen. Det er samme type som hendes, ved første øjekast er det den samme, alligevel er der noget, som hun synes virker anderledes. Hun ville ikke kunne sætte en finger på, hvad det er, om det så gjaldt hendes liv, hendes iagttagelsesevne og skarpsindighed er ikke så udviklet, hvad angår kommunikationsudstyr. Hun opgiver at identificere detaljerne og kigger i stedet i mobilens telefonbog, det er udenlandske navne, der optræder. Så går der omsider et lys op for hende, i skyndingen er hun selvfølgelig kommet til at tage fotografens telefon. Det var som sagt ham, som stod dér på klippen neden for fiskerhytten.

Hun sukker, vil tage telefonen med ned i kælderen og lægge den på bordet dernede, men skifter mening i sidste øjeblik. Hvis fotografen ser telefonen, vil han vide, at hun er gået ind i lejligheden. Hvilket hun ikke synes er passende. Hun lægger telefonen ned i sin taske igen. Hvor den på ny begynder at ringe.

I haven står hun lidt og tripper med skålen i den ene hånd og plasticposen i den anden, dværgmisplen har vakt hendes interesse. Den forbandede busk vil ikke give op, strækker sine grønne grabber op på solterrassen. Hun må se i øjnene, at hun skal tage en beslutning om, hvorvidt hun først skal klippe busken ned og derefter plukke bær i ro og mag eller omvendt.

Aftensolen tager til sidst beslutningen for hende, det er så skønt at plukke bær i aftensol, det vil hun ikke gå glip af, den satans busk må vente til i morgen.

Enkelte gange sker det, at hun overvældes af en uventet, uforklarlig lykkefølelse, når hun rører ved naturens gaver, smukke røde bær på en busk, blåbær i lyngen, eller har klart kildevand i sin hulede hånd, hun bliver så lykkelig, så taknemmelig for at bo i et land, der ikke er forurenet, for at kunne drikke rent vand, spise frisk mad, være en fri kvinde. Faktisk synes hun, det er utroligt, at hun ikke har denne følelse oftere, egentlig burde hun flyve rundt som en sommerfugl hver dag, ivrig, glad, altid smilende. Jeg er bare for godt vant, siger hun til bærrene, som nu har fyldt bunden af hendes skål, hun smiler misfornøjet over sin egen utaknemmelighed, mens hun rækker hånden ud efter en fristende klase med bær, som hænger på en gren længst inde.

Så bliver hun stukket.

Hun trækker med et sæt hånden til sig, mærker smerten i langfingeren, taber skålen i græsset, gnubber fingeren hårdt, som om hun tror, at hun kan fjerne smerten, men den forsvinder ikke, det forbandede stik, den forbandede hveps, hvordan kunne den finde på at stikke hende af alle mennesker, hun, som kendte dens adfærd, dens livsforløb? Havde den satan slået sig ned i hendes ribsbuske? Hendes hjerte hamrer, giften er sikkert ved at sprede sig i kroppen, hun kunne have allergi, så er stikket livsfarligt, hun løber ind i huset. Smækker døren efter sig, stormer rundt i huset, frygter, at der er et åbent vindue et sted, hun kan ikke tænke klart, går ind i nogle af værelserne to gange, finder til sidst et åbent vindue i vaskerummet. Hun smækker det hårdt i. Så lister hun langsomt rundt i huset, spejder efter fjenden, ved, at de ofte sniger sig ind ad en åben dør, hun har ladet døren til solterrassen stå åben, mens hun plukkede bær, de kravler hen ad gulvet, stikker folk i fødderne, disse modbydelige møgdyr.

Det smerter i fingeren, hun gnubber og gnubber, står inde i garderobeværelset og funderer over, om hun skal skifte tøj og tage ned på skadestuen, tænker intenst, mens hun skubber bøjlerne med tøj frem og tilbage på stangen, så skyller vreden voldsomt ind over hende. Hun koger af vrede.

Den knyttede næve varsler konflikt.

Olli har ofte set Dúi knytte næven under bordet, knytte den og åbne den skiftevis, og det har altid varslet konflikt eller snarere dårlig stemning. Som faktisk er en konflikt, hvis man ser nærmere på den, i virkeligheden er det skældud. Hold dig på måtten, Olli, du er bare en hund. Eller, opfør dig ordentligt og lig stille, vi skal snart hjem.

Det har været en lang dag og meget svært at ligge pænt på måtten under skranken i flere timer. Olli stirrer skiftevis på Dúis og på pigernes hænder, vil de ikke give ham en chokoladekiks? Men de ser ikke på ham, de er ved at gennemgå dagens reservationer med Dúi, hans vagt er snart slut.

Olli tager sig en sidste lur inden vagtskifte, farer forskrækket op, da han mærker en ny lugt, åbner øjnene, ser to ben, som han straks genkender. Han er specialist i ben, han kan kende Senna, han bliver glad og udstøder et bjæf. Han bliver omgående taget op og er ovenud lykkelig.

Senna krammer ham og kæler for ham, siger til Dúi, da hun har fået afløb for sine slumrende moderfølelser, at hun går under jorden. Dúi lyser op, da han ser Senna, til Ollis store lettelse holder han op med sin dårlige vane med skiftevis at knytte og åbne hænderne, beder hende om at komme med over i kaffehjørnet, så de kan tale sammen. Senna har store nyheder, jeg har overnattet hos alle mine veninder, var hos den ene af dem i nat, hang ud med tre af dem i dag, mens de var på arbejde, og nu er du nødt til at tage over, jeg tager ikke hjem, og jeg er også holdt op på hotellet.

Når venners liv tager en ny drejning, er det et nødstilfælde. Så glemmer man sine egne sorger, slid og slæb, jubler nærmest over at kunne flygte fra sig selv for en tid, at kunne bevæge sig over i andres verden. Sådan er det for Dúi, han vil gerne lytte til Sennas problemer, men da hun foreslår, at de går ud og finder et sted, hvor hun kan fortælle ham sin historie over en øl, trækker han på det. Han er nødt til at give Olli noget at spise og få ham lagt i seng, vil hellere have, at de først går hjem til ham og starter med en øl dér. Hvilket hun villigt går med til.

Senna i røde strømpebukser sætter sig godt til rette i Finnurs grønne sofa, kigger veltilfreds ud over stuen, som hushjælpen har gjort omhyggeligt ren, men inden hun begynder at fortælle, kommer hun til at spørge efter Finnur og bliver så i stedet tvunget til at høre om alle de prøvelser, Dúi har været igennem. Inden Dúi når til højdepunktet i den fortælling, kommer Olli haltende over på Finnurs kontor og hyler som tegn på, at de skal løfte ham op på luksusudgaven, der ligger på skrivebordet. Han har en forkærlighed for netop de bøger, der må komme lidt varme fra ordene i dem.

Da han er blevet placeret oven på bøgerne, kniber han det ene øje sammen og betragter dem på afstand.

Dúi er fornærmet på sin morbror, det gamle fjols har ikke taget ham med på fisketuren, og han som havde købt udstyr af den allerbedste slags, ja, sågar waders, havde vist Finnur dem og sagt, at han var klar til kamp, og Finnur havde nikket, nikket mange gange, men var så taget af sted for at fiske uden at snakke med ham. Havde taget Hjálmar med sig som sædvanlig, det havde han hørt, da han ringede til Ingdís. Jeg brugte alt, hvad jeg ejer og har på alt det fiskegrej, og jeg, som ellers ingenting ejer, ingen lejlighed, jeg har ikke engang en bil.

Du har mig, søde ven, og er det ikke menneskets største lykke at have en god ven, siger Senna og giver med vilje sine ord en vis rytmisk lethed. Hun rækker ham et glas øl med en digters lidende gestik, du siger, at du intet er, men kære ven, min fremtids vej er fyldt med torne, og det er meget værre.

Sammenkrøbne i den fyrrenålegrønne sofa og med benene trukket op under sig, så deres fødder fletter deres skæbner sammen, fortæller Senna ham om, hvor uanstændigt hun var blevet behandlet. Hun starter tre gange på den sætning, som røg ud af ham med den korte hestehale dér på hotelgangen: Hvad laver hende den skævøjede rengøringskone her? På det tidspunkt stod det klart for mig, siger hun, at jeg har levet i en illusion, der er ikke megen fremtid for mig i det her fordomsfulde land.

Men du holder op med at gøre rent og får hotellerne, næsten råber Dúi.

Sagens kerne er tydeligvis forbigået hans opmærksomhed, fornedrelsen har naturligvis at gøre med den første del af sætningen. Som Senna gentager om og om igen. Så siger han, og har stadig ikke forstået det, at hvis hun taler om sine øjne, hvis det er dem, hun taler om, så har han altid syntes, de var meget betagende.

De slubrer deres øl i sig, ser på hinanden uden at sige noget.

Ordet betagende har ført en dyb tavshed med sig.

Senna lader sin rødklædte fod stryge op ad Dúis ben, så han kan fornemme, at hun føler sig godt tilpas. Han reagerer ikke, men stirrer i stedet uafbrudt på hende, som om han tænker, så det knager. Han har fortabt sig i fortiden. Han genkalder sig hændelser.

Men fremtiden er noget, som de begge bekymrer sig meget om, og da Senna har trukket sin fod til sig, fortsætter de på samme måde, analyserer hver især tingene grundigt og diskuterer deres position og plads i samfundet. Øllet opmuntrer til filosofiske overvejelser, de kommer frem til, at en eller anden udefinerbar følelse af mindreværd plager dem begge. Senna er af den overbevisning, at hendes rødder kan føres tilbage til hendes mor, som igen kan sammenlignes med Dúis mor. Sennas biologiske mor arbejdede i et lavtlønnet job, som indvandrere gerne gør, og Dúis mor lod alle træde på sig, var altid sløj og kujonagtig af væsen.

Vi er ikke andet end vores arv, siger Dúi, mindreværdsfølelsen ligger os i blodet. Han undgår dog at nævne sin far, som altid arbejdede, han risikerede at gøre Senna ked af det, hun havde ingen idé om, hvem hendes biologiske far var. For at aflede hendes tanker genopfrisker han sit eget livsforløb, som indtil nu har været temmelig uinteressant. Han arbejdede på landhotellet efter gymnasiet, så blev han receptionist på det lille hotel i byen, og der var han stadig, og der skete ingenting. Det var, som om han ikke havde drivkraften i sig til at blive til noget. Han har ikke mod nok til at nævne for Senna, at han gerne vil være receptionist på hendes fars store hotel.

Du har ikke engang en kæreste, siger Senna og vælger sine ord med omhu, hvordan kan det være? Kvinder er ikke interesserede i uformuende mænd, som de var i gamle dage, siger Dúi og tager en hurtig slurk af sin øl, men jeg har da to gange kommet sammen med smukke piger, men kun i kort tid. Men problemet er bare, at jeg aldrig bliver rigtig forelsket. Han nævner ikke, at han engang blev forelsket i en dreng, helt uforvarende, han risikerer bare, at hun vil gøre et stort nummer ud af det, begynde at komme med overraskede udråb og andre ubehageligheder.

Hans sidste ord om aldrig at blive forelsket vækker i høj grad Sennas interesse, hun sidder uroligt i sofaen, er du måske narcissistisk?

Dúi kender ikke den nøjagtige betydning af ordet, selvom han har hørt det brugt engang, han mindes at have hørt det, men det er ubegribeligt, hvor belæst Senna er, han har ofte med beundring lyttet til, hvordan hun kan lire alle disse mærkværdige navne af. Han vil ikke afsløre sin uvidenhed, og fordi han fornemmer, at Senna synes, at narcissistiske mennesker ikke er uspændende, snarere tværtimod, siger han langsomt, og meget eftertænksomt, at det kan meget vel være.

Så bevæger de sig ind på Sennas interesseområde, sammensatte personligheder. Hun fortæller ham, at hun vil blæse på hotellerne, vil bevæge sig over i digtningens verden. Hun vil skrive en fortælling, hun tænker hele tiden på den, og hun har tænkt sig at stikke af til Paris, lade som om hun studerer der, mens hun i virkeligheden skriver. Han ser uforstående på hende, spørger, hvordan den slags dog kan falde hende ind, det kan hun da ikke tjene noget ved, og hun siger, jeg har altid villet være en anden, end jeg er.

Han bliver meget trist til mode, hvem skal så tage sig af hotellerne i fremtiden?

Vil du ikke bare gøre det? siger hun blidt og lader sine fingerspidser stryge let hen over hans arm, som hviler på sofaryggen.

Han stirrer på hende, er ikke sikker på, om han har hørt rigtigt, eller om hun mener det alvorligt, om denne spinkle, unge kvinde har nogen form for magt, hvad angår hotellerne, og hun ved præcis, hvad han tænker, lukker øjnene et øjeblik, smiler skævt og rækker ud efter sin store taske. Jeg behøver bare at ringe én gang, søde Dúi, tage én samtale med mor og fortælle hende, at jeg vil have, at du bliver hotelmanager. For eksempel på landhotellet, jeg ved, at hun alligevel vil fyre manageren dér. Og det er vel en udmærket start for dig, er det ikke? Hun fisker telefonen op fra den lille inderlomme i tasken, sætter sig godt til rette, ser koket på ham, mens hun vælger nummeret.

Han venter med hjertet i halsen.

Telefonen ringer igen og igen, uden at nogen tager den.

Olli lægger sig ned med forpoterne strakt frem foran sig, lukker begge øjne og udstøder et af hundens ejendommelige indre suk.

15

Farverne er klare efter regnen.

Øjeblikket, som fotografer venter på. Det ved Finnur, han har hørt det et sted, spekulerer på, hvor længe solen mon vil være fremme, om fotografen forstår at udnytte øjeblikket. Måske er han ikke vant til at tage naturbilleder i nordlige egne, fatter sikkert ikke, hvad det går ud på, manden interesserer sig kun for menneskene.

De er ikke dukket op, brødrene, selvom de havde talt om, at de skulle mødes her, på hans fiskested, de havde bestemt sig for at sætte sig ned sammen med udlændingen, give ham noget at spise og fiske sandheden ud af ham. Hvilket han jo selv til dels havde gjort, selvom han ikke var helt tilfreds med resultatet.

Der manglede noget. Han har på fornemmelsen, at han har været ude at fiske, har været opmærksom, men uden dog at fange nogen fisk. Ved at tale med manden under fire øjne har han villet forhindre, at forhøret skulle mislykkes på grund af Hjálmars eventuelle ubesindighed, men når alt kommer til alt, kan han ikke udelukke, at hans nevøs ubesindighed netop kunne lede til, at de fik fotografen til at rykke ud med sandheden. Folk får ofte tungen på gled, hvis man tirrer dem. Han har på fornemmelsen, at fotografen ikke er færdig med Hjálmar.

Finnur har mistet tålmodigheden, brødrene har fortabt sig i noget, det er åbenlyst. Han beslutter sig for at gå op til dem, kalde dem sammen der. Tager regnjakken af, river sin hat af, mærker den friske aftenluft om hovedet. Han er træt, har fået nok uden dog at forstå, hvad det skyldes, sædvanligvis får han aldrig nok af at fiske, men nu er det, som om længslen er forsvundet. Han rejser sig, tager sine waders af og trækker støvlerne på, som fotografen efterlod. Samler sine ting sammen og går i østlig retning op langs floden med den blide aftensol i nakken.

Han har den brusende flod på højre hånd, kan knap få øjnene fra den. Han er kommet op på en lille bakke, da han med ét får øje på dem alle tre. Gylfi er ude i floden, Hjálmar og fotografen kommer gående fra hver sin retning. Hjálmar fra øst, fotografen fra nord. Selv kommer han fra vest. Det minder ham om en korsvej.

Episoder fra flere romaner dukker op i hans hoved, han kan ikke undgå at få den tanke, at de muligvis alle står ved en korsvej i deres liv.

Han standser op, lader fiskestangen synke. De andre har også sænket tempoet på deres vej ned til floden. Et øjeblik står de alle tre stille, skæver til hinanden.

Det scenarie, han tydeligt ser foran sig, bringer hans tanker i oprør, han hæver sig op over det, bevæger sig ud over virkelighedens grænser, over i intuitionens verden, som flirter med fantasien, indtil virkeligheden tager tømmerne, styrer ham ind på et område, hvor der ikke er plads til følelser, kun tal og kendsgerninger.

Han kan omsider se sammenhængen, se tallene. De havde med mennesker at gøre, ikke virksomheder, pengeafpresning, forretninger. De drejede sig om relationer. Relationer og atter relationer, det kunne han have sagt sig selv tidligere, hvis ikke han havde tænkt så firkantet og i så tørre tal. Han ser overførslerne for sig mellem de tre bankkonti, beløb, som blev flyttet mellem konti over lang tid, beløb, som ikke havde den store betydning, når det drejede sig om hoteldrift i millionklassen, små beløb, som blev til hundrede tusinder på syv år, beløb, som der ikke fandtes nogen kvittering på, men som måske havde at gøre med et menneske.

En fraskilt kvinde med to børn. Som i hemmelighed fik penge af Gylfi. Det ene barn var syv år.

Først bliver han lettet. Tallene, som har plaget ham i nogle år, og som han med stor alvor har kæmpet med lige siden foråret, er nu endelig fundet. Han er sikker i sin sag, næsten et hundrede procent, sådan forholdt det sig altså.

Det bliver ikke svært for ham at følge sporet, når først han kender selve strukturen. Det skaber forstyrrelse i han liv, når tallene ikke stemmer, han sukker af tilfredshed.

Så kommer han til at se på sine nevøer. Det løber ham koldt ned ad ryggen.

Hvad ville der ske, hvis Hjálmar fandt ud af, at hans bror er far til hans søn? Hvad ville Nanna gøre, hvis hun opdagede bedraget? Hvad med sønnen?

Finnur ser med ét for sig, hvilken pris sandheden har.

En splittet familie, had, vrede, han ville ikke kunne trives selv.

Det går op for ham, at han risikerer at miste den eneste familie, han har. Hvordan i alverden kunne det dog falde manden ind at gå i seng med sin brors kone? Uanset hvordan det forholdt sig, så var én ting sikker, Gylfi skulle så sandelig have at vide, at han kendte sandheden.

Og hvordan fanden skulle han forklare det til skattemyndighederne?

Fotografen går af sted som den første efter at have betragtet de tre andre et øjeblik. De må se at få manden væk herfra, tænker Finnur, med det samme i morgen tidlig, må se at få slettet alt på hans telefon, mens han sover. Selv må han opføre sig naturligt, stå det igennem, lade det drive over.

De når næsten samtidig ned til flodbredden, Gylfi ser dem, giver dem et hurtigt nik. Finnur forsøger at være munter, spørger fotografen, om han ikke har fotograferet floden på alle ledder og kanter, om det ikke er ved at være godt, men Hjálmar kommer ham i forkøbet med et svar, siger tørt, at floden ikke er blevet fotograferet, i stedet er der blevet taget prøver af den.

Der følger ingen forklaring på bemærkningen, Finnur ved ikke, om han laver sjov eller ej, det er ikke altid, folk forstår Hjálmars vittigheder, men han kan dog se, at hans nevø ikke er, som han plejer at være. Det er, som om han er blevet forskrækket, som om han har set noget, som han ikke skulle have set, men endnu ikke har gjort op med sig selv, hvordan han vil reagere på. Deres blikke mødes et kort øjeblik, Finnur ved, at han kan gå ud fra, at Hjálmar ved lidt af hvert, hvor meget vil han helst ikke tænke på. Han leder samtalen ind på floden. Du har åbenbart mistet én, har du ikke? siger han til sin nevø. Hjálmar svarer trægt: Det kan man vist roligt sige.

Vil I ikke fiske videre? råber Gylfi ude fra floden. Vi har allerede fisket meget, eller har du noget særligt i tankerne, nu når du nævner fiskeri? svarer Hjálmar og har ikke besvær med at hæve stemmen. Han ved noget, tænker Finnur.

Der er ingen, der nævner den plan, de diskuterede aftenen før. Det falder ikke Finnur ind at nævne den, ikke efter dette. Han kan heller ikke se, hvordan brødrene skulle kunne have nogen interesse i at lægge fælder for manden, sådan som situationen er i øjeblikket.

Der er opstået en form for standby på flodbredden, de tilstedeværende står og grubler, usikre på, om de skal fiske videre eller holde en pause for at spise. Man kunne godt forestille sig, at fotografen var begyndt at længes efter noget mere substantielt end blåbær. Han er blåbærblå, opdager Finnur.

De står passive i aftensolen, kigger på Gylfi, der fisker midt i naturens klare farver. Vandet når ham til midt på låret, det er så skinnende klart, at man tydeligt kan se den klippe, han står på, den rager nogle meter ud i strømdraget. Fotografen spejder i alle retninger, måbende af beundring, overvældet af skønheden, griber så sit kamera og siger, at han vil have et billede af brødrene sammen ude i floden, nu med det samme, der er kun kort tid, til det skumrer, og bagefter et af dem alle tre, han ser smilende på Finnur. Hjálmar ser ikke ud til at hilse dét arrangement velkomment.

Men fotografen insisterer, og det tager ham ikke lang tid at få brødrene med på idéen. Han instruerer dem i, hvad de skal gøre, selv går han ikke langt ud i sine kondisko, beder Hjálmar om at stille sig ud på klippen sammen med Gylfi, stå ved siden af ham, så han tydeligt kan se profilerne af dem begge, og så må Hjálmar gerne lægge sin hånd et kort øjeblik på Gylfis arm, som om de er lige ved at få bid, de skal se ud, som om de er klar til kamp.

Finnur sætter sig på en sten, tager en lille flaske portvin op af madboksen, iagttager dem og sukker. Han ser brødrenes profiler, det samme kæbeparti, den samme hage, direkte fra den fædrene slægt, det er ikke så mærkeligt, at der aldrig er blevet sået tvivl om drengens fædrene ophav.

Fotografen springer frem og tilbage på bredden, går skiftevis ned på knæ og rejser sig op. Finnur kigger på hans ansigt.

Ser der et udtryk, som han ikke tidligere har set. Den tilrejsendes venlighed og ydmyghed er med ét forsvundet, hans ansigt udtrykker bitterhed, han ser ud, som om han vil hævne sig. Først falder det Finnur ind, at Hjálmar på en eller anden måde har truet hans ære med sine fordomsfulde bemærkninger, og nu vil han give ham igen af samme skuffe. Spille ham et puds. Det ville såmænd være ganske menneskeligt.

Måske er jeg blevet paranoid, tænker han, men kigger alligevel over på brødrene for at se, om de har lagt mærke til ændringen i fotografens fremtoning. Så ser han noget andet, som han ikke bryder sig om.

Brødrene skuler til hinanden.

Vent nu lidt, hvad foregår der her? Finnur får portvinen galt i halsen.

Herefter sker alt lige for øjnene af ham, uden at han kan gøre noget. Fotografen beder brødrene om at gå lidt længere væk fra bredden, så han kan få et bedre billede af dem. Flytte sig længere ud på klippen, som de står på, ja, og endnu længere ud, lidt længere, og de adlyder. Helt utroligt som man altid lystrer en fotograf, eller er det deres forfængelighed, de lystrer? funderer Finnur, men indser i samme øjeblik situationens alvor, springer på benene, skubber uvenligt til fotografen og råber til brødrene, beder dem om at passe på strømfaldet.

Men brødrene ser sig ikke for og flytter sig uvilkårligt længere ud på klippen, passer ikke på, hvor de træder, de ser kun ilden i hinandens øjne. Hjálmar mister balancen, er trådt ud over klippens kant med den ene fod, griber hårdt fat i sin bror, som reagerer vredt med hurtigt at skubbe ham fra sig med albuen.

Hjálmar falder bagover ned i strømfaldet.

Han synker til bunds i den iskolde flod. De tre andre står først bomstille og ser på, venter på, at han dukker op igen, så vågner de op, forstår, at de er nødt til at række ham en hjælpende hånd, selvom de håber, at han kan redde sig selv, Hjálmar er udholdende.

Hans hoved dukker op over vandet, men han gør intet forsøg på at svømme.

Gylfi skræver gennem vandet hen til bredden, kaster fiskestangen fra sig, vil vade ud igen, men Finnur hindrer ham i det: Dine waders slår dig ihjel, hvis de bliver fyldt med vand! skriger han.

Han gyser ved tanken om at gå ud i vandet, han ved, at det kun er fire grader varmt, ved, hvor farlig kulden kan være, især for nakken, men sparker sine støvler af. Han vader ud i floden, når at vende sig om et øjeblik, ser Gylfi halvvejs ude i floden, han har ikke tænkt sig at adlyde ham og blive på land. Fandens også, tænker Finnur, men har ikke tid til at bringe ham til fornuft, får øje på fotografen, der står lammet oppe på bredden, han har måske troet, at floderne var lunkne, og at det ikke kunne skade at falde i dem, havde ikke kendskab til den livsfarlige kulde i nord, han skriger til ham: Ring 112, knægt!

Hjálmar flyder på ryggen, øjnene er lukket, ansigtet stift.

Hans hoved har ramt en sten, da han faldt, tænker Finnur fortvivlet.

Strømmen er stærk, den bærer Hjálmar fremad.

Nu bliver han sat på prøve, svømmeren, dét her bliver hans sværeste konkurrence, han har det, som om han har forberedt sig på dette øjeblik hele livet. Altid når han svømmede og var blevet træt, forestillede han sig, at han skulle redde et menneskeliv, og så strammede han sig an, han legede hele tiden den leg.

Men kulden var aldrig en del af legen.

Den trænger ind i kroppen, han fryser mest på armene og skuldrene, og i nakken, han tænker på Hjálmar, hvis han dog bare havde haft en ulden hue på, han kan blive lam og dø, hvis kulden trænger ind i nakken, stikket, dødsstikket.

Han tager kraftigere svømmetag, fanden tage alle kasketter, man burde udrydde dem, er taknemmelig for ikke at være iført støvler, men mærker, at hans fødder er ved at blive følelsesløse.

Der er knap tyve meter ud til drengen, men strømmen er stærk, det er helt absurd, det er jo ikke åbent hav, han er ude på, men kulden er den samme, måske værre, den satans kulde, han føler, han er ved at tabe til strømmen, det ene øjeblik beder han Gud om hjælp, det næste bander han ham langt væk, samler al sin styrke, sætter farten op, ligesom han lærte at gøre det, da han var en ung mand.

Han griber fat i Hjálmar. Får lagt hans hoved ind mod sin kind, kæmper mod strømmen, som flår i dem, han kan ikke komme til at tage svømmetag, han føler ikke, han gør andet end at sparke med benene, Hjálmar er så tung, han ved, at han er nødt til at få ham med ind til bredden, han må prøve at svinge ham ud til siden, lægger alle kræfter i, forsøger at koncentrere sig, forsøger at tage svømmetag, svøm, mand, svøm, svøm. Det føles, som om strømmen tager lidt af, så ved han, at han nærmer sig bredden, men så forekommer det ham, at kulden bliver endnu mere gennemtrængende, han mærker det isnende kolde strømfald, vand, der kommer direkte fra jøklen, der må være en eller anden satans sideflod her, tænker han og mærker så, hvordan han bliver tung i hovedet.

Så får han øje på bredden, våde sten, store klippeblokke, sand, en jordbrink, jeg klarer det, jeg skal klare det, jeg skal vinde over den forbandede kulde, inden jeg dør!

Han mærker en sten mod sin ryg.

Han har det, som om hans hjerte er ved at briste.

I skumringen trækker han Hjálmar i land.

16

Det rindende vand er lunkent, tilpas varmt for hunde.

Men det lykkes dem ikke med nogen midler at lokke Olli op i badekarret. Han er urolig, halter hvileløst rundt fra ét hjørne til et andet, snuser til alt, der befinder sig i hans nærhed, udstøder et bjæf, bliver irritabel, da de kalder på ham.

Hvorfor er han så ulydig, sukker Senna træt. Alt det postyr leder Dúis opmærksomhed væk fra hendes fortælling. Men han havde villet give hunden et bad netop for at kunne lytte til hende i ro og fred, havde troet, at badet ville berolige Olli. Han forstår ikke selv, hvad der går af hunden, er begyndt at tale til den i et bestemt tonefald, Oliver, men lige meget hjælper det, hunden halter hurtigt hen i et hjørne og stiller sig i kampposition, strækker forbenene frem foran sig, løfter bagpartiet og knurrer.

De sidder rådvilde på kanten af badekarret. Fortællingen var lige begyndt, de var hoppet ind i toget, og han havde trykket hende ind til sig, Dúi synes, at starten lover godt.

Vandet løber, de ser længselsfuldt på det, så på hunden, derefter på hinanden, og så foreslår Senna, at de tager et bad, nu hvor hunden ikke vil. De sidder over for hinanden i badekarret, mens hun fortæller ham historien, vi kan tænde nogle stearinlys og snuppe en øl imens, som om vi sad i en jacuzzi.

De lader hunden passe sig selv, henter alle de lys, som de kan finde i Finnurs skabe, hvor alting er lagt i fuldkommen orden, tager et par dåser øl med sig, og Dúi beslutter sig for at spille noget af Finnurs musik for at gøre stemningen endnu bedre, Mozarts tyvende klaverkoncert, den minder ham sådan om ballet, han har altid beundret balletdansere, og så tager de tøjet af og forsøger at være naturlige og frimodige, selvom de aldrig før har set hinanden splitternøgne.

Han skynder sig, så godt han kan, at komme før hende op i badekarret for at forhindre, at han får rejsning, når han ser hende nøgen. Han har det så underligt, stoler ikke på sine egne følelser.

Hun tager tøjet af uden at skynde sig, folder sit tøj sammen og lægger det på en skammel. Han undlader at se på hende, men kan ikke undgå det, da hun træder op i badekarret. Så spinkel, drenget at se på, med gylden hud. Til sin undren mærker han, at hendes krop pirrer ham seksuelt.

Han hælder en øl i sig, forsøger at slappe af, holde styr på rejsningen, fatte sig, han spærrer øjnene op og ser interesseret på hende, som om han venter spændt på fortsættelsen af fortællingen. Senna, som ikke kan læse hans tanker, sætter sig behageligt til rette, som om hun ofte går i bad med sine venner, ser så glad ud nu, hvor hun endelig får lov at fortælle sin historie.

"Og han trykkede hende ind til sig, og hendes næse rørte ved hans bryst", og Dúi strækker sin fod frem og lader tæerne hvile ved hendes lår, men hun trækker benene til sig og sidder, så hun nærmest ingenting fylder, men strækker yndefuldt sine arme ud over kanten på badekarret, læner hovedet tilbage, lokker af hendes hår falder ned og kæler for vandet, og ordene strømmer ud af hendes mund, så rosenrøde som tonerne fra Mozarts dramatiske koncert.

Han befinder sig som i en drøm, oplever en salighed og følelser, som han aldrig tidligere har kendt til.

"Og de blev presset tæt op imod hinanden af menneskemængden, og de nød at mærke varmen fra den anden", og Dúi drømmer om fortsættelsen, om den nat, der venter dem, om den bliver ligesådan, endeløs salighed, som aldrig hører op, hvor er det heldigt, at han ikke tog på den fisketur med

Finnur. Men da den tur dukker op i hans tanker, kommer han til at tænke på Sennas far, på hvordan han vil reagere, når han hører om deres forhold, og det gør ham lidt urolig. Han sidder altid som på nåle, når det kommer til Gylfi, han ved aldrig, om han gør ham tilpas eller ej.

Senna kan se, at han tænker på noget andet end hendes historie, hun aer hans ben, og han ser hende i øjnene og smiler, og hun fortsætter lykkelig sin beretning, der som rindende vand strømmer ubesværet fra hende. Han beundrer hendes veltalenhed og begavelse, begynder at tvivle på, om han er hende værdig, og så, så søger hans tanker endnu længere ned i dybet, ned i hans egne følelser. Hvad sker der for mig, tænker han, skal jeg altid være anderledes? Er det normalt? Hvem bestemmer, hvad der er normalt?

Hendes fortælling sender hans tanker på flugt, navnene i hendes historie gør ham forskrækket, han sætter sig bedre op og spørger hende forundret, om hun er ved at skrive en historie om sine forældre, og hvis det er tilfældet, hvorfor er Nanna så fransk?

Det er digtning, Dúi, siger hun overbærende. Fortællingen bygger på en lille hændelse, som fandt sted i virkeligheden, da de mødtes igen i toget efter alle disse år, men jeg ændrer og opdigter ting, forstår du, giver fantasien lov til at blomstre, det gør alle digtere, og navnene, ja, det er bare nogle, jeg bruger, mens jeg er ved at finde nogle gode navne til dem.

Men Dúi er ikke tilfreds med den måde at digte på, der er noget, der ikke stemmer, synes han. Hvorfor dem, Senna, dem?

Barnets illusionsverden, svarer hun efter lang tids tavshed, vi er nødt til at leve i illusionen for at overleve, uden den bliver livet koldt og farveløst.

Han er begyndt at fryse i vandet. Han overvejer, om han skal komme mere varmt vand i deres bad eller foreslå, at de står op og går ind og hygger sig i stuen, eller måske oppe i hans varme seng?

Men så ringer telefonen. Lad være med at tage den, beder hun, jeg er nødt til at fortsætte historien.

Men telefonen holder ikke op med sin pågående ringen, til sidst kan han ikke holde det ud længere, det er en utålelig lyd, desuden fryser han, han springer op, så vandet skvulper ud over kanten, griber et håndklæde, løber drivvåd ind på det mørke bibliotek. Han ser Olli ligge i Finnurs arbejdsstol, udkørt og med matte øjne, og studser. Det må have været noget af en kamp for staklen at komme op i stolen.

Dúi tager røret. Og hører Ingdís' ophidsede stemme.

Kan du ikke sætte noget ordentligt på et øjeblik, så jeg kan varme op til at fortsætte, siger Senna, da han kommer tilbage, hun er ved at fylde mere varmt vand i badekarret.

Han adlyder hende som i trance, henter en af sine egne cd'er, går hen til Finnurs anlæg og sætter den på, går så tilbage til hende, står med håndklædet slået om livet, kigger på hendes spinkle krop dernede i vandet.

Hun spørger, hvem det var, der ringede så sent, og han er lang tid om at svare, drikker en slurk vand fra hanen, siger, samtidig med at han kigger på sit eget spejlbillede, at det bare var Ingdís, der spurgte efter Finnur. Han stryger sig over skægstubbene, som om han er ved at beslutte, om han skal trimme dem lidt, tænker, så det knager, hvordan skal han få fortalt hende, at tre mænd er faldet i floden, deriblandt hendes far, at to er i livsfare og én er død? Hvordan skulle han fortælle hende det? At de alle sammen var blevet bragt med helikopter til hospitalet, og Ingdís havde sagt, at hendes søn var i live, lægerne havde bekræftet det, de kendte skuespilleren, og hun ville tage op til ham, og de skulle også komme, men Nanna var ikke til at få fat i, hvor var Nanna egentlig, hun var vel ikke oppe i fiskerhytten?

Han sagde til Ingdís, at de ville komme op på hospitalet.

Én var død. Han kniber øjnene i, beder inderligt til, at det ikke er Finnur. Ved, at han er nødt til at få svar på det. Han føler sig så svag, at han knap kan lukke for vandhanen.

Senna siger, nå, men kom nu ned i badekarret igen, så jeg kan fortælle historien færdig eller fortælle det, som jeg har skrevet indtil nu.

Han vender sig om, ser på hende. Hvordan skulle han forberede hende på, at hendes smukke illusionsverden muligvis var styrtet sammen? Kunne hun klare det? Hun, som havde været så glad, måtte hun ikke være glad bare lidt længere, ville det ændre noget ved det, som var sket? Han beslutter sig for at lade hende afslutte historien, den er måske hendes fremtid.

Lad være med at glo sådan på mine bryster, fniser hun og skjuler dem med sine hænder.

Han lader sig glide ned i det varme vand, siger til hende, at hun skal fortsætte sin fortælling, han venter spændt på at høre, hvordan den slutter.

Hvepseboet buler ud som et stort kvindebryst.

Det hænger under sålbænken i ly af ribsbuskene, man kan ikke se det fra sydsiden, hvor Nanna normalt befinder sig, når hun sysler med noget i haven, men ses tydeligt, hvis man står på nordsiden af huset.

Det tog hende tre kvarter at finde det. Hun går så sjældent om på nordsiden af huset, har ikke været derommme, siden dengang hun ødelagde stærens rede.

Hun er nødt til at tage sig voldsomt sammen for at bevare fatningen, forsøge at tænke logisk. Hun har ofte set hvepseboer på billeder, men har aldrig gjort sig klart, at de kunne være så store. Det får hende til at tænke på, at det måske var en god idé at tage et billede af boet, som hun kunne kigge på, hvis hun engang i fremtiden skulle få lyst til at studere hvepseboer, hvilket hun dog tvivler på, at hun får, men man ved jo aldrig. Hun henter kameraet og fotograferer med rystende hænder boet, med zoomlinse. Hvepsene sværmer omkring hende.

Da hun er kommet sikkert ind igen, har hun hjertebanken og føler sig ubehagelig tilpas. Aftensolen forsvinder snart, hun gyser ved tanken om at skulle sove med de modbydelige dyr neden for vinduet. Hun tager endnu en runde i huset, det kunne tænkes, at det er lykkedes dem at komme ind, uden at hun har lagt mærke til det, hun henter en hårlak, finder støvsugeren frem, hun vil have den klar, først give dem lak, så suge dem op i røret.

Hun har svært ved at trække vejret, det er vreden, som gør, at det trykker for brystet, hun er mest vred over, at frygten har fået tag i hende, denne frygt, som bor inden i hende og vokser under særlige omstændigheder. Hvor kommer den fra, hvad er det, hun frygter?

Den globale opvarmning? Er det den globale opvarmning, al den gru, der fylder hende? Jøklerne, der smelter, vandstanden i havet, der stiger? Forøgelsen af angrebslystne insekter, hvepse, myg, myrer, som kan æde hele huse, hun mindes stadig sin drøm om kæmpemyrerne.

Hendes hjem er blevet angrebet. Hendes hjem. Det var tydeligt, at hvepsene ikke havde nogen idé om, hvad ordet "hjem" betød for hende. For børn, der er vokset op som gæster i andre menneskers hjem, bortset fra nogle ganske få år hos en far, betød et hjem mere end noget andet. Hun havde stor forståelse for børn, som boede i flygtningelejre, følte så inderligt med dem, at hun ikke kunne holde ud at høre om dem i nyhederne, alle nyheder var dårlige, hun hørte aldrig andet end dårlige nyheder.

Information skaber frygt.

Og så skal man have det skidt hængende under sin egen sålbænk. Netop som hun var blevet glad, da hun opdagede, at hun var fri for kældergæstens årvågne øjne. Ikke sådan at forstå, at hun ikke brød sig om den stakkels fyr, det var ikke hans skyld, at han var endt i hendes kælder. Selvom hun ikke rigtig brød sig om hans pågående facon, havde hun ikke noget imod ham. Hun havde endda tænkt på at sige til ham, at han kunne tage sin mor med til landet, fordi hun var sådan en god kok, hun kunne sikkert få arbejde i et køkken et sted, måske bare på landhotellet, så ville der blive serveret noget andet end lam og laks, der var mange, der godt kunne lide fremmed mad. Det var ikke hans fejl, den stakkel, det var Gylfis skyld. Som gjorde alt efter eget forgodtbefindende, uden at tale med hende.

Hun sidder rank i en stol som en kvinde i et ventværelse, bevidst om fjenderne på den anden side af ydermuren, hører, når de uforvarende flyver mod ruden. Medmindre de flyver ind i ruden med vilje for at skræmme hende, det var muligt, der var ikke blevet forsket i deres indbyrdes kommunikation.

Hendes stue i tusmørket. De hvide vægge begynder at gråne, skabe bliver til skygger, spejle mister deres glans, hvordan kunne tiden være gået, uden at hun havde lagt mærke til det? Det er lummert indenfor, det er en alt for varm augustdag, så varm, at det næppe bliver køligere henunder aften. Hun rynker brynene, misser med øjnene.

Klaviaturet på klaveret giver dog ikke op, det lyser op i den grå tåge, kontrastfyldte, skarpe farver, som ingen rører ved længere, men hun har altid instrumentet stående åbent, hvis Senna skulle ændre mening og få lyst til at lade fingrene glide hen over dets tangenter. Selv ville hun gerne have lært at spille, da hun var ung, men i grossistens hus havde der ikke været noget instrument.

Ofte, når hun og Finnur sammen lyttede til en cd med klavermusik, kiggede hun på sit klaver, hvis hun sad, så hun kunne se det, og drømte om, at det var hende, der spillede. Der var stadig så meget, de skulle lytte til, hende og Finnur. Hun havde sådan en lyst til at overraske ham engang, købe noget musik, som han aldrig tidligere havde hørt, det ville virkelig komme bag på ham, han, som troede, han kendte alt, der blev spillet i hele verden, men der var nu en del, som hun, men ikke han, kendte, som for eksempel Ligetis koncerter, han ville minsandten sætte en anden mine op, hvis hun rakte ham dem, hun fryder sig ved tanken. Faktisk burde hun tage til udlandet og købe musik til Finnur. Det havde bare været så svært at slippe fra haven om sommeren, og fra huset om vinteren, nogen skulle jo passe hjemmet, lave mad og tage imod gæster.

Fotografens telefon ringer uafladeligt i hendes taske, der står ude i entréen, der er nogen, der forsøger at få fat på ham, tænker hun, måske hans mor. Hun burde måske tage den, fortælle hende, hvor flittig hendes søn har været til at fotografere, hun synes, det er sjovt at tale fransk. Hvor havde hun ofte lyst til at rejse ud igen, om ikke for andet så for at tale fransk og købe musik, bare rejse af sted med sin rygsæk på ryggen, ligesom fotografen havde gjort. Hvorfor kunne hun ikke gøre det samme som ham? Bare købe sig en billet og tage af sted næste morgen?

Så begynder hun at tænke på alle de detaljer, der hører med til en rejse, ser for sig, hvordan hun befinder sig først det ene så det andet sted, og synker ned i stolen som en kvinde, man har ladet sidde for længe i venteværelset.

Frygten har indrettet sig alt for behageligt, har fundet sig til rette på en afsats under hendes brystkasse, bygget et godt bo der, indrettet sig med stuepiger, der samler alt løst materiale sammen, så boet kan udvides. Blive som et stort kvindebryst.

Telefonen er blevet tavs, og stilheden benytter sig af chancen, kravler ud fra alle stuens hjørner, sniger sig op ad hendes ben, hun mærker kulden fra den, med stilheden følger altid kulde, aldrig varme, og hun begynder at tænke på Finnur, på alt det, de har haft sammen. Hun forstår dog ikke, hvorfor hun tænker på ham nu, er nødt til at spekulere lidt over det, men kommer så i tanke om, at hun havde kigget på klaveret og tænkt på musikken, Finnur er forbundet med den. Hun mindes stærereden, som de sammen havde fjernet om foråret, da havde hun opdaget, hvor meget de lignede hinanden i opførsel og tankegang, de burde sikkert begge have levet i syttenhundredetallet.

Hun hører en summen uden for vinduet, eller det forekommer hende, at hun hører noget, muligvis summer det bare i hendes ører, hun kunne godt vedkende sig det faktum, men hun tænker fortsat på Finnur, hun kan simpelthen ikke styre det, og så, pludselig, slår en idé ned i hende. Så frygtelig en idé, at hun mærker en skælven i skuldrene, så dristig og risikabel, at hun kunne bringe sig selv i livsfare ved at gennemføre den. Men hun kan ikke komme af med den, den har sat sig fast i hendes bevidsthed.

Det er, som om nogen driver hende frem. Hun rejser sig op som i trance, bevæger sig, som om hun bliver styret af en overnaturlig kraft, går hen til kælderdøren, lister ned ad trappen.

Hun tænder lyset i haveskuret. Papegøjenæbbet slumrer endnu på hylden, men vil snart begynde at vågne op, det ved hun, kigger ømt på planten et øjeblik. Så tager hun beholderen frem, en femliters trykbeholder med spraydyse, fylder den med vand. Rækker ud efter insektgiften, hælder to spiseskefulde i vandet i stedet for én teskefuld, som hun plejer, når hun sprøjter hækken, tager beskyttelsesbriller og de gule havehandsker på, drager af sted i krig.

De sværmer omkring boet i tusmørket, sidste chance inden mørket falder på, de skal nå hjem inden mørkets frembrud. Hun venter ivrigt, men på passende afstand, kan se mindst fem af de modbydelige kryb. Hvad venter de på? Hvorfor ser de ikke at komme indenfor? Hun vil have ram på dem alle sammen. Står musestille i det lune augustmørke med våbnet i hænderne.

En ubestemmelig lyd når hende fra det fjerne, så synes hun, at hun kan høre noget ringe inde i huset. Lytter, det er sikkert hendes hjemmetelefon, det er ikke lyden af fotografens mobiltelefon. Fotografen, som kun kom til landet med en stor rygsæk og et kamera. Havde ikke brug for mere. Hun, derimod, havde altid en masse habengut, også selvom hun kun lige skulle fra ét sted til et andet, døde ting, som ikke havde nogen betydning i sig selv.

Det foresvæver hende, at hun har to rygsække, en lille og en stor, så længe er det siden, hun har gået med rygsæk. Hun kunne samle de væsentligste ting i den store. Og så efterlade en besked, smuttede en tur til udlandet for at købe musik. Nej, det lød måske ikke tilstrækkelig målbevidst. Det var bedre at skrive, tog en tur til udlandet for at købe nogle nye bøger om økologi, saml ribsene i en pose og frys dem. Hun skulle ikke nævne musikken, og at hun med økologi mente hvepse, de interesserede sig alligevel ikke for det.

De er forsvundet, hun ser ingen, der sværmer rundt længere, hun var alt for opslugt af sine tanker til at holde ordentligt øje med dem.

Tiden er inde, hun er nødt til at gå til angreb. Hendes hjerte begynder at slå hurtigere, da hun sætter sig på hug foran boet.

Hun sprøjter ind i åbningen, sprøjter giften ind ad møgdyrenes døråbning. Den hvide papirvæg opsuger væsken, hun sprayer den uafbrudt, mærker, hvordan beholderen bliver lettere i hendes hånd. Så begynder det at dryppe ned i græsset. Hun retter sig op, ånder ud, som om hun har befundet sig længe under vand.

Så ser hun to hvepse, der sværmer rundt oven for boet. Hun viger skrækslagen tilbage. Det går op for hende, at invasionen kan tage lang tid, hun får sandsynligvis ikke ram på dem alle på én aften. Hun afventer lidt, beslutter sig for at holde vagt en halv time endnu og derefter foretage de sidste angreb før natten. Hun synes, hun kan høre telefonen ringe inde i huset.

Augustmørket bliver tættere. Hun kan ikke længere se detaljer. Det hvide papirbryst ses dog tydeligt under sålbænken, det er blevet et snusket hjem at se på, elendigt og i dårlig stand. Det var smart af hende at tage et billede af det inden angrebet. God dokumentation af fjendens hule. Men det var nok de færreste, der ville være interesserede i det, det skulle da lige være Hjálmars børn. De interesserede sig for de små ting, ligesom hun selv gjorde, hun holder vældig meget af dem. Måske også fordi hun kan mærke, hvor meget de holder af hende. De kunne også se, hvor stor pris deres far satte på hende.

Hun forbereder sig mentalt på det endelige opgør. De sidste giftdråber skal ind til fjenderne. Så hun sætter sig på hug endnu en gang og sprøjter.

Det er netop da, at følelsen griber hende.

Den flyder ud i hendes årer som en alkoholisk drik. Sløver boet under hendes brystkasse, forgifter det, tilintetgør det, hun mærker den lettelse, det er, da det forsvinder, mærker, hvor godt det er at trække vejret, som om en byrde er blevet løftet fra hendes skuldre. Hun bliver grebet af en barnlig glæde, hun har mest af alt lyst til at smide våbnet fra sig, løbe ud i det blå, nyde følelsen. Men hun behersker sig, nogle legende børn kunne få fingre i de giftdråber, der er tilbage i beholderen.

Papegøjenæbbet iagttager hende inde i haveskuret, mens hun stiller tingene på plads. Du har brug for mere lys, siger Nanna og tager forsigtigt planten ned fra hylden. Først da ser hun, hvor sølle den ser ud. Den har ikke kunnet tåle manglen på lys i skuret, vinduet er for lille, hun skulle have ladet den stå i kælderlejligheden, selvom fotografen var der. Hun havde ikke behøvet at flytte alle sine ting ud, selvom der skulle bo en mand i kælderen. Han havde sikkert også været ligeglad, måske ville han endda have syntes, det var hyggeligt at have en potteplante hos sig i køkkenet.

Planten er tør, mulden løsner sig fra potten. Hun undersøger rødderne, de er i en elendig forfatning. Med det rette indgreb ville det måske være muligt at redde dem. Hun går ovenpå med planten, snupper sin gamle rygsæk med på vejen.

Mens hun står ved køkkenvasken og lader det lunkne vand kæle for de stakkels rødder, begynder hun at tænke på jordens planter og vækster. Hvor vigtigt det er at tage sig af rødderne, man kunne beskære planter i én uendelighed, men rødderne skulle passes, hvis planterne skulle leve. Og nogen blev nødt til at passe dem. Hvem skulle gøre det, hvis hun drog ud i verden med sin rygsæk? Ikke Gylfi, og da slet ikke Senna. Og hvem skulle passe Senna og hendes rødder, hvis hun begyndte at strejfe rundt i verden?

Gylfi, uden tvivl. Senna forgudede sin far, og hun var hans øjesten. Mennesker elskede dem højest, som viste dem den største kærlighed. Men det ændrede nu ikke på, at de begge blev nødt til at beskytte deres pige og sørge for, at hendes rødder blev tætte og stærke.

Plantens rødder gisper efter vejret efter alt det, de har fået at drikke. Næste skridt var at sætte planten i noget ny muld og så se, hvordan det gik. Men hvad skulle hendes eget næste skridt være? Egentlig længtes hun ikke efter at rejse bort, hun var bare ligesom myrerne, som arbejdede glade med deres i jorden, behøvede hun i grunden at forsøge at være en anden end den, hun var?

Men man kan ikke lægge skjul på, siger hun til papegøjenæbbet, da planten er kommet i en ny potte og virker forbavsende frisk forholdene taget i betragtning, at jeg virkelig er i humør til at gøre noget radikalt nu, selvom tiden er fremskreden.

Hun ringer ikke til sin far på grund af dette, men derimod kunne hun godt tænke sig at veksle et ord med hotelmanageren, som ikke gik i brechen for hendes datter. Og denne gang vil hun ikke tage fløjlshandsker på.

Hendes taske ligger stadig ude i entréen. Hun tømmer alt dens indhold ned i rygsækken, står et øjeblik med fotografens mobiltelefon i hånden, hun er nødt til at bruge den foreløbig. Det havde hun aldrig troet, at hun skulle komme til, da hun i foråret så ham for første gang ved hækken.

Dengang havde hun gjort sig tanker om stemningsskift, det kan hun huske, hun havde tænkt over, hvordan en stemning pludselig kunne ændre sig, uden at nogen kunne forstå hvorfor. Sådan kunne alt ændre sig. En eller anden lille hændelse, som ingen lagde mærke til, men som ændrede alt.

Hun synes, det er en vigtig betragtning. Hun vil fundere over den, mens hun kører ud på landet. Putter mobilen i rygsækken.